Christine Fauré, sociologue, directeur de recherche au CNRS, a enseigné de 1973 à 1983 à l'université de Vincennes, puis à Saint-Denis. Elle a publié : *Terre, terreur et liberté, essai sur le populisme russe* (Maspéro, 1979), *La Démocratie sans les femmes* (PUF, 1985), *Les Déclarations des droits de l'homme de 1789* (Payot, 1988-1992), *Ce que déclarer des droits veut dire : histoires* (PUF, 1997, Prix de l'Académie des Sciences morales et politiques). Elle a dirigé *L'Encyclopédie politique et historique des femmes* (PUF, 1997).

*Dépôt légal : avril 1998
Numéro d'édition : 85188
ISBN : 2-07-053448-0
Imprimerie Kapp Lahure
Jombart, à Evreux*

MAI 68
JOUR ET NUIT

Christine Fauré

DÉCOUVERTES GALLIMARD
HISTOIRE

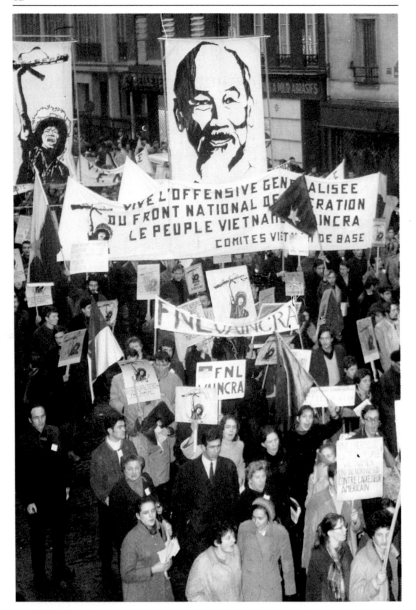

L'année 1968 connaît une agitation étudiante exceptionnelle : Etats-Unis, Brésil, Mexique, Japon, mais aussi Allemagne fédérale, Belgique, Suède, Pologne, Tchécoslovaquie, et jusque certains pays d'Afrique. En Espagne, en France et en Italie, la révolte gagne le monde ouvrier. La convergence de ces mouvements trouve ses origines profondes dans la remise en cause de l'ordre mondial de l'après-guerre.

CHAPITRE PREMIER
L'INTERNATIONALE ÉTUDIANTE

"Le rouge pour naître à Barcelone / Le noir pour mourir à Paris."

La référence à l'international et à la révolte est bien présente dans un graffiti de la faculté de Censier. Les manifestations contre la guerre du Viêt-nam sont nombreuses à Paris (ci-contre, en 1966, devant l'ambassade des Etats-Unis; à gauche, les Comités Viêt-nam de base, en mars 1968.

La contestation de l'ordre mondial établi

La crise de civilisation, l'insatisfaction engendrée par une société de consommation peuvent-elles être évoquées seulement pour des pays ayant atteint un certain niveau d'industrialisation et de technologie ? La simultanéité des mouvements de jeunes correspond plutôt à une remise en cause généralisée de l'ordre politique établi après la Seconde Guerre mondiale, partage du monde en zones d'influence entre les démocraties libérales et le bloc communiste, chaque entité restant aux aguets des difficultés de l'autre et de ses scissions. Dimension scissionnaire qui joue un rôle attractif dans les références que se donnent les mouvements étudiants à travers les figures charismatiques de Castro, Guevara et Mao. Il est paradoxal que la Révolution culturelle chinoise, une lutte pour le pouvoir menée au sommet entre une poignée d'individus,

La marche sur le Pentagone des étudiants américains rassemble, le 21 octobre 1967, 75 000 personnes en présence de nombreux intellectuels de renom, tels que N. Mailer, N. Chomsky. Pendant toute l'année, les manifestations se multiplient, avec le blocus des centres de recrutement et le renvoi des livrets militaires.

véritable séisme économique et culturel, à l'origine de nombreux massacres, ait alimenté, en Occident, des comportements de révolte anti-autoritaire.

Dès l'année 1965, la guerre du Viêt-nam, première guerre télévisée, est le principal amplificateur des revendications étudiantes. Cette guerre, menée par l'Etat le plus puissant du monde contre un pays peuplé de paysans pauvres, au nom des dangers du communisme, non seulement cristallise l'indignation morale d'individus devant les atrocités commises et l'énormité des moyens mis en œuvre, mais surtout sape le bien-fondé de cette division du monde en Est et Ouest. La barbarie de l'Etat américain dans la guerre du Viêt-nam devient une évidence et suscite des protestations dans le monde entier.

A Washington et dans beaucoup d'autres villes du monde entier, le 17 avril 1965 a lieu la Marche pour la paix (en bas et à gauche, le 17 avril 1965 à Washington).

Contre la guerre du Viêt-nam

La dénonciation de la guerre du Viêt-nam va, pour la gauche américaine, prendre le relais de la participation au Mouvement pour les droits civiques, qui perd de son importance au fur et à mesure que se forme un mouvement noir fier de son identité et jaloux de ses initiatives. Elle est à l'origine d'un front très large qui comprend de nombreuses personnalités. Les radicaux dans les universités ne représentent qu'une minorité, mais la contestation des valeurs traditionnelles de l'Amérique y est très unanimement partagée. La résistance à la conscription et la désobéissance civile sont désormais considérées comme admissibles. L'assassinat du pasteur Martin Luther

Les poètes de la Beat Generation concilient une conception merveilleuse et sublime de la poésie avec la révolte contre une société qui en est dépourvue : l'Amérique de la bombe atomique, du maccarthisme et du racisme. Ici, Allen Ginsberg lisant ses poèmes à Washington Square en 1966.

King à Memphis le 4 avril 1968 déclenche à l'échelon national des émeutes contre la discrimination raciale qui font 40 morts et plus de 3 500 blessés. Le 24 avril, l'université Columbia à New York et celle de Boston, accusées de faire preuve de racisme, sont occupées par des étudiants noirs et blancs : séquestration du doyen, saccages des bureaux. Le 29 avril, une manifestation contre la guerre rassemble plus de 100 000 personnes à New York. La veuve du pasteur Martin Luther King y donne lecture des « 10 Commandements sur le Viêt-nam ».

Mais c'est au Japon que l'antiaméricanisme et la lutte contre la guerre du Viêt-nam prennent la forme la plus violente. En vue du renouvellement du pacte de sécurité américano-nippon signé en 1960, les membres du Zengakuren (le syndicat national des étudiants), divisés en factions rivales, prennent pour cible les signes de la présence américaine au Japon et développent des stratégies de combat élaborées : le 9 mars 1968, protestations et affrontements à Tokyo contre la construction, dans le centre de la ville, d'un hôpital militaire américain ; le 2 avril, protestation contre l'aéroport de Narita qui doit ravitailler les troupes américaines au Viêt-nam, puis le 15 mai 1968, contre l'escale d'un sous-marin atomique américain à l'origine d'une augmentation de la radioactivité dans le port de Sasebo, au sud du Japon. Tous ces groupes, malgré leur division, sont hostiles à la base américaine de l'île d'Okinawa, occupée par les américains (manifestations du 29 avril 1968).

En Europe, à Berlin – ville frontière –, la contestation des jeunes générations est d'autant plus forte que la base américaine de Francfort rappelle la puissance tutélaire des Etats-Unis à l'égard de la

Après les émeutes qui suivent l'assassinat de Martin Luther King (ci-dessus, le jour de ses funérailles, le 8 avril

1968), l'université Columbia, accusée de mesures racistes, est occupée par les étudiants (ci-dessus, un sit-in à Columbia).

République fédérale allemande (RFA). La première manifestation sur le Viêt-nam, le 6 février 1966, adopte un caractère hautement symbolique : le drapeau américain est mis en berne, une affiche accuse le gouvernement de complicité dans la guerre américaine. Cette dénonciation, dans le contexte allemand, prend l'allure d'un véritable sacrilège. En décembre 1966, une seconde manifestation a lieu ; les effigies de Johnson et de Ulbricht, premier secrétaire du Parti communiste de la République démocratique allemande (RDA) sont brûlées.

Les Zengakuren japonais (ci-dessous), coiffés de casques aux couleurs vives et armés de javelots, combattent «sans illusion, le capitalisme à l'Ouest et la bureaucratie des pays dits socialistes ».

Dès janvier 1967, toute manifestation étudiante est interdite dans le centre ville de Berlin-Ouest. Le 5 avril 1967, la visite du vice-président Humphrey provoque affrontements et manifestations. Les 17-18 février 1968, ont lieu, à Berlin-Ouest, un congrès international de solidarité avec la Révolution vietnamienne et une manifestation.

Le Viêt-nam vu de France

En France, la politique gouvernementale change la donne. Alors que le chancelier allemand Erhard rend hommage aux Etats-Unis qui «défendent la liberté au Viêt-nam» (20 décembre 1965), le général de Gaulle prend position, dans une lettre à Ho Chi Minh du 8 février 1966, contre l'intervention militaire américaine et pour le respect des Accords de Genève de 1954 qui stipulent l'interdiction de faire entrer des troupes et des armements étrangers au Viêt-nam.

Les manifestations contre la guerre sont d'abord marquées par le soutien aux intellectuels américains qui mènent le combat. Une insatisfaction croissante à l'égard de la politique gaulliste

A Berlin, le Congrès international de solidarité avec la Révolution vietnamienne, des 17 et 18 février 1968 (ci-dessous), est, malgré l'interdiction, l'occasion d'une manifestation à laquelle participent de nombreux étudiants étrangers (ci-dessous).

– estimée insuffisante – et du Parti communiste, l'évolution de la guerre et le bombardement du Viêt-nam du Nord amènent la formation de comités à l'initiative de responsables de mouvements de jeunesse de gauche et d'intellectuels : «Semaine universitaire internationale contre la guerre du Viêt-nam» (18-25 novembre 1965), soutien, aide financière, Association du milliard pour le Viêt-nam (1966), puis Comité Viêt-nam national (CVN, 29 novembre 1966, à l'appel de Bartoli, Kastler, Schwartz, Sartre et Vidal-Naquet) et Comités Viêt-nam de base, d'inspiration marxiste-léniniste, sous le mot d'ordre «FNL vaincra». CVN et CVB exercent une influence concurrente dans le milieu étudiant. En 1968, dans les manifestations, l'antifascisme prend le pas sur la dénonciation de l'hégémonie américaine.

Le tribunal international contre les crimes de guerre commis au Viêt-nam, dit tribunal Russell, réuni à Londres en novembre 1966 et à Stockholm en mai 1967 – le général de Gaulle ayant refusé qu'il se tienne à Paris –, marque la volonté d'universaliser la dénonciation de la guerre. Le 18 mars 1968, le consul américain est malmené par les étudiants à Stockholm et un Comité de déserteurs américains est formé pour inciter d'autres soldats à suivre leur exemple.

Dans sa déclaration inaugurale, Jean-Paul Sartre inscrit la création du tribunal Russell, du nom du philosophe, dans le prolongement du tribunal de Nuremberg (1945-1946), constitué par les Etats alliés pour juger les criminels nazis. Les Américains interviennent à titre d'experts. Seuls quatre sont juges. Ci-dessus, au Danemark en décembre 1967, le professeur Schwartz lit la résolution reconnaissant les Etats Unis «coupables de nombreux crimes de guerre au Viêt-nam.» A gauche, Jean-Paul Sartre.

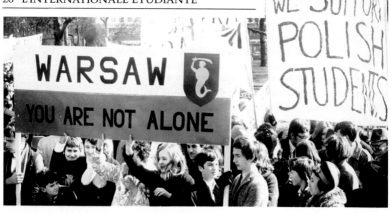

A l'Ouest, la démocratisation de la société

En Pologne, la protestation étudiante a un point de départ déconcertant : la censure - pour ses allusions anti-russes - d'une pièce de Mickiewicz, *Les Aïeux*; qui suscite manifestations et pétitions : «En luttant pour la pièce de Mickiewicz, nous luttons pour l'indépendance et la liberté et pour les traditions démocratiques de notre pays». Deux étudiants, considérés comme chefs de file de l'opposition et d'origine juive, sont expulsés de l'université de Varsovie, mettant les «hautes écoles» en ébullition. Le 29 février, l'Association des écrivains de Varsovie regrette l'interdiction de la pièce. Aux cris de «Vive les écrivains», «Liberté d'expression», «Démocratie», «Constitution» et «Gestapo» à l'adresse de la police, les troubles se propagent dans la plupart des universités et gagnent l'Ecole polytechnique, l'établissement universitaire le plus important de Pologne, qui se met en grève le 13 mars 1968. Une pétition en treize points est rédigée : liberté de parole et de réunion, publicité des débats, libération des étudiants arrêtés, inviolabilité des institutions universitaires…. «Nous désirons poursuivre nos études pour pouvoir édifier le socialisme dans notre pays, conformément aux libertés démocratiques».

Le Printemps de Prague, impulsé à partir de janvier 1968 par Alexander Dubcek qui succède à la tête du Parti à Novotny, n'est pas un mouvement d'étudiants.

La révolte des étudiants polonais entraine des actions de solidarité à l'Ouest (ci-dessus, à Londres) et à l'Est. L'université de Prague invite B. Baczko et L. Kolakovski, les professeurs exclus. Les étudiants de Belgrade adressent des lettres de solidarité aux autorités polonaises. A l'université Humboldt de Berlin-Est, des tracts anonymes sur les événements polonais sont distribués. Cette révolte étudiante se heurte néanmoins à une relative passivité du reste de la population. La répression va au-delà de l'Université : hauts fonctionnaires – dont les enfants ont participé aux manifestations – destitués; professeurs exclus (dont six de l'Université de Varsovie). L'acte de révocation spécifie qu'ils «étaient protecteurs et défenseurs des étudiants pour la plupart d'origine juive».

Certes l'université participe à l'effort de libéralisation de la vie publique, notamment par la création officielle du Parlement étudiant de Prague. Les étudiants des autres pays socialistes, dans leurs espoirs, associent les événements polonais au Printemps de Prague auquel l'occupation soviétique du 20-21 août 1968 mettra fin.

Régimes dictatoriaux de l'Ouest et libéralisation

En 1968, dans l'Espagne de Franco, les étudiants mènent une lutte ouverte contre le régime – lutte soutenue par l'organisation clandestine des partis d'opposition – qui culmine avec la fermeture de plusieurs universités, dont celle de Madrid évacuée le 29 février. Des manifestations contre la guerre du Viêt-nam dénoncent les bases militaires américaines dont les accords de renouvellement sont en cours, mais l'enjeu primordial reste l'avènement de la démocratie. «Ni Franco, ni Carillo [secrétaire général du Parti communiste] ne nous feront bouger, nous luttons pour la liberté.» Ce mouvement étudiant n'est pas isolé et trouve un écho dans les «commissions ouvrières» dont les dirigeants sont arrêtés le 25 mars.

L'Amérique latine connaît aussi de graves troubles universitaires. Le 28 mars 1968, la mort d'un étudiant de Rio de Janeiro, Lima Souto, déclenche des manifestations dans les grandes villes du Brésil. Ses obsèques, aux cris de «A bas l'impérialisme, Che Guevara et Lima Souto ont été abattus par la même main», sont transformées en rassemblement populaire contre lequel la cavalerie intervient le 4 avril. Un autre étudiant, Ivo Vieira, est tué à Goiania.

Le Mexique, choisi pour la tenue des XIXe Jeux olympiques, connaît des affrontements si violents entre étudiants et police, puis armée, que l'on n'hésite pas à parler de massacres pour les événements survenus le 2 octobre 1968, place des Trois-Cultures dans le quartier de Tlatelolco, qui feront 300 morts officiels.

Depuis le 22 juillet jusqu'au 2 octobre 1968, date du massacre de la place des Trois-Cultures, une véritable escalade s'est instaurée entre le Comité national de grève des étudiants et le gouvernement mexicain, où l'exigence de la liberté politique tient une place centrale. La dénonciation par les étudiants de l'article 145 du Code pénal, promulgué pendant la guerre contre les nazis, donne au gouvernement, sous le titre de délit de subversion, la possibilité de procéder à des arrestations et à des incarcérations arbitraires. Le rôle de la Révolution cubaine dans ces affrontements est déterminant, comme symbole d'indépendance nationale et de résistance aux menées stratégiques des Etats-Unis en Amérique latine (ci-dessus, manifestation étudiante à Mexico en septembre 1968).

Un système d'éducation devenu caduc

Pour des étudiants allemands, italiens ou français, la démocratisation de la société signifie aussi le changement d'un système d'éducation devenu caduc par ses méthodes et son enseignement. La radicalisation politique interviendra ensuite lorsque l'institution s'avérera sourde aux revendications.

En Allemagne fédérale, le mouvement étudiant part de l'Université libre de Berlin-Ouest, créée pour faire pièce à l'Université Humboldt située dans le secteur soviétique. Son projet de départ, pédagogique et gestionnaire – existence d'un Parlement étudiant –, s'est trouvé restreint par l'autoritarisme des instances dirigeantes. D'où des mouvements contre le retrait forcé des cartes d'étudiants, la contestation du cours magistral et la fondation de l'Université critique le 11 juillet 1967, en présence du philosophe Herbert Marcuse, auteur d'*Eros et Civilisation* (1955) et de *L'Homme unidimensionnel* (1964).

Les philosophes de l'Ecole de Francfort (M. Horkheimer, Th. Adorno, J. Habermas), dont Marcuse fit partie, exercent également leur influence dans l'élaboration de cette réflexion critique : critique du système d'éducation, impérialisme et révolution socialiste, culture et

Herbert Marcuse, ayant quitté l'Allemagne en 1933 pour les Etats-Unis, est professeur à l'Université de San Diego (Californie). Dans *Eros et civilisation*, il démontre la possibilité d'un développement non répressif de la libido, dans les conditions d'une civilisation arrivée à maturité. L'imagination est cette faculté créatrice qui projette la réconciliation du principe de plaisir avec le principe de réalité.

système capitaliste, psychologie et société.
Le mouvement étudiant est généralement hostile
à une Université qui se développerait à l'écart
du monde, à l'exception de Fritz Teufel et Rainer
Langhans, membres de la Kommune I de Berlin-Ouest
ainsi que de la Fédération des étudiants socialistes
(SDS, issue du Parti social-démocrate), qui affirment :
«Nous nous mettons en marge et nous ridiculisons
toutes les manifestations de cette société.»

L'enterrement d'un étudiant allemand, Benno
Ohnesorg, tué par un policier en civil le 2 juin 1967
lors d'une manifestation contre la réception
à Berlin du Shah d'Iran, est suivi d'une
campagne d'explications sur l'opposition
extraparlementaire qui rassemble le
mouvement étudiant. Cette opposition
craint qu'un gouvernement de coalition ne
fasse aboutir le projet d'une législation
d'exception dirigée contre elle, contrepartie
à donner aux Alliés en échange
d'un renforcement de la
souveraineté du pays.
La tentative d'assassinat,
le 11 avril 1968, de Rudi
Dutschke, l'un des
principaux chefs du SDS,
déclenche en Allemagne et
à l'étranger une vague de

Des manifestations de solidarité (ci-contre à Berlin-Ouest et en bas à Paris) suivent la tentative d'assassinat du leader étudiant Rudi Dutschke. Des actions de sabotage des réseaux de distribution de la presse Springer sont également déclenchées. On sait que la campagne virulente du groupe Springer contre la gauche extraparlementaire étudiante a fortement influencé l'agresseur de Rudi Dutschke. D'ailleurs, l'analyse de l'impact de cette campagne était déjà au programme de l'Université critique sous la rubrique «Langage politique et fausse conscience sociale».

«Si ça brûle quelque part dans les prochains jours, si quelque part, une caserne saute en l'air, si quelque part une tribune s'effondre sur un stade, s'il vous plaît, ne soyez pas surpris, pas moins surpris que lorsque les Américains franchissent la ligne de démarcation, lorsque le centre de Hanoï est bombardé.»

C'est ainsi que la Kommune I, dans son style provocateur et parodique, dénonçait, en mars 1967, la mise en spectacle des guerres les plus meurtrières.

manifestations de solidarité. Mais l'élargissement du mouvement étudiant allemand au monde politique laisse indifférents les milieux ouvriers; le second souffle capable d'entraîner d'autres groupes sociaux n'est pas trouvé.

En Italie, manifestations d'étudiants dans les rues de Milan (ci-dessus) et discussions de lycéens à Parme (ci-dessous).

Le «Mai rampant» italien

Décalée par rapport au mouvement allemand, précédant le déclenchement des événements en France, le mouvement italien durera jusqu'à l'automne 1969. L'Université est dans un état déplorable, incapable de faire face à l'augmentation massive des effectifs (140 000 nouveaux inscrits, 20 000 de plus que l'année précédente), conservatrice et archaïque. Le projet Gui de réforme universitaire, du nom du ministre de l'Instruction publique, ne touche pas au pouvoir des *baroni* (les mandarins) qui refusent tout changement venant des étudiants. A Rome, l'attitude du recteur d'Avacq, qui fait évacuer l'université par les carabiniers (29 février), provoque des affrontements violents, dans les jardins de la Villa Borghèse où se trouve la faculté d'architecture.

La contestation étudiante, commencée à l'université de Trente le 1er novembre 1967, est suivie par l'occupation de l'Université catholique de Milan le 27 novembre. Puis c'est le tour de Turin où la faculté des lettres est occupée, puis Gênes le 29 novembre, Pavie le 1er décembre, le même jour Cagliari, Salerne et Naples le 4 décembre, Sassari le 11, Padoue le 15 décembre. La faculté d'architecture de Turin est occupée le 18 et la police intervient le 27 à la demande du recteur. La réflexion critique menée dans le cadre de cette occupation nourrira l'ensemble du mouvement étudiant en Italie (plate forme revendicative pour la restructuration des Facultés humanistes, décembre 1967).

Comme à Berlin ou à Paris, les effigies de Ho Chi Minh, Guevara et Mao peuplent les universités italiennes. Ces étudiants à qui Rossana Rossanda, membre du Parti communiste, reconnaît la dignité de sujets politiques, réussissent à établir une jonction avec le mouvement ouvrier qui trouvera sa pleine expression aux usines de la Fiat en 1969.

Des heurts très violents mettent aux prises, le 4 mars, les carabiniers et les étudiants romains qui veulent s'emparer du contrôle de la faculté d'architecture.
A l'origine, une revendication pour une plus large participation à la gestion des facultés. Scandalisé

par l'expérimentation d'examens conduite par les étudiants, le recteur d'Avacq avait fait intervenir la police le 29 février. *Il rettore magnifico* persiste le 26 mars, par une mise en demeure d'évacuation en menaçant d'annuler les résultats de l'année 1967-1968.

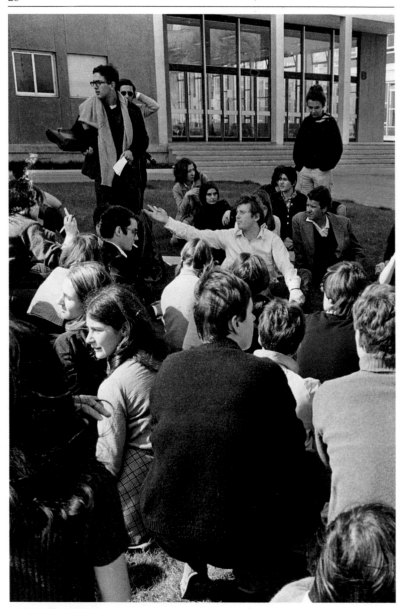

La contestation étudiante qui prend forme dans l'université de Nanterre, sous le nom de Mouvement du 22 mars, avec son porte-parole fétiche Daniel Cohn-Bendit, n'est pas tombée du ciel. Elle est le contrecoup d'une histoire locale et nationale, une histoire ancrée dans le début des années 1960.

CHAPITRE II
L'ONDE DE CHOC TRAVERSE L'UNIVERSITÉ

"M'sieur Grappin avait résolu (bis) / De nous faire tomber sur le cul (bis) / Mais son coup a foiré / Malgré les policiers. Valsons la Grappignole / C'est la misère ou la colère / Valsons la Grappignole / C'est la misère / A Nanterre. Ah! ça ira, ça ira, ça ira / Morin, Lefebvre on les emmerde / Ah! ça ira, ça ira, ça ira / Et le Touraine on s'le paiera.**"**

«La Grappignole», chant de guerre des «Polonais» de Nanterre, sur l'air de «La Carmagnole» et du «Ça ira». [A gauche et à droite, les étudiants à Nanterre après le 22 mars 1968.]

L'Université épuisée

A l'image des autres pays occidentaux, la France n'a pas su adapter son enseignement secondaire et supérieur aux exigences de son temps. Comme après toutes les guerres, la natalité s'est redressée après la Seconde Guerre mondiale. La croissance des effectifs scolaires et universitaires s'avère durable, car à cette vague démographique s'est ajouté un phénomène distinct : l'allongement de la scolarisation. La carte de l'enseignement supérieur s'en trouve bouleversée. Les 17 anciennes universités ne suffisent plus et le campus suburbain s'est institutionnalisé.

L'UNEF décomposée

Le syndicalisme étudiant que représente l'UNEF (Union nationale des étudiants de France) est à bout de souffle. Alors qu'à son heure de gloire, en 1961,

Pour répondre à l'accroissement des effectifs, de nouvelles universités sont créées en province. Dans la région parisienne, l'indépendance du Centre scientifique d'Orsay est reconnue en 1966. La faculté des sciences de Paris se dote de nouveaux locaux à la Halle aux vins (encore en chantier en 1968). La faculté de Nanterre, encastrée dans une zone de bidonvilles, prête à accueillir les étudiants de l'Ouest parisien, ouvre en 1964 (en haut et en bas, Nanterre en 1968).

D'autres déséquilibres frappent le milieu universitaire : sur dix ans, l'accroissement des effectifs, quadruplant en faculté de lettres alors qu'il ne fait que tripler en droit et doubler en sciences et en médecine, amène la réforme Fouchet (décret du 22 juin 1966) qui tente d'organiser les deux premiers cycles en lettres et sciences humaines. Ce plan, par son caractère ambigu (il maintient partiellement l'ancien système et limite la liberté de l'étudiant en instituant des couloirs d'enseignement longs ou courts), fait l'unanimité contre lui. Toutes ces difficultés auraient pu alerter les autorités sur la gravité de la situation.

le syndicat comprenait plus de 100 000 adhérents, en 1968, il en compte moins de 30 000. Dans le même temps, le nombre des étudiants est passé de 240 000 à près de 600 000. Cet affaiblissement, qui se traduit par une situation financière désastreuse, lui enlève toute chance d'apparaître comme un interlocuteur valable : d'ailleurs les ministres qui se sont succédé à l'Education nationale ne lui ont pas accordé d'audience depuis 1964.

Cependant la commission internationale de l'UNEF reste en prise sur l'actualité et développe des contacts avec les mouvements allemands et italiens. La dénonciation de la guerre du Viêt-nam et l'anti-impérialisme se situent dans la tradition de l'opposition à la guerre d'Algérie : en novembre 1966, l'UNEF a appelé au meeting des Six Heures pour le Viêt-nam d'où naquit le Comité Viêt-nam national (CVN). Et malgré un certain isolement, la nouvelle direction de l'UNEF

Marc Kravetz (ci-dessus, à droite) et Antoine Griset mènent une autocritique ravageuse sur le syndicalisme étudiant et ses revendications corporatistes.

prendra des initiatives en commun avec le puissant syndicat de l'enseignement supérieur (le Syndicat national de l'enseignement supérieur, le SNE Sup), dont Alain Geismar est le président.

Face-à-face : l'UJCML (à droite) et le service d'ordre de la CGT, le 1er mai 1968.

La prolifération des groupuscules

L'affaiblissement de l'UNEF est également propice aux affrontements entre groupuscules politiques. Depuis janvier 1968, les étudiants du PSU (Parti socialiste unifié) sont à la direction de l'UNEF, dont Jacques Sauvageot est le vice-président. Ils sont aux prises avec les étudiants communistes de l'Union des étudiants communistes (UEC), qui dominent certaines AGE (Associations générales des étudiants) et défendent la ligne du Parti dans son mensuel *Le Nouveau Clarté*. Il faut compter aussi avec les ambitions des groupes trotskistes : le Comité de liaison des étudiants révolutionnaires (CLER), réuni autour du journal *La Vérité*, qui déclare compter plus de 1 000 étudiants; la Jeunesse communiste révolutionnaire (JCR), groupe formé en 1966 par une

LA VERIT

Revue de l'Organisation Communiste Internationaliste et du Comité International pour la Reconstruction de la IVe Internationale

Rédaction et administration
39, rue du Faubourg-du-Temple - PARIS (10e)

Avril-Mai 1968   No 541 — 3 F.

LE MANIFESTE
DE
L'ORGANISATION
COMMUNISTE
INTERNATIONALISTE

centaine d'étudiants du secteur Sorbonne-Lettres de l'UEC. L'Union de la jeunesse communiste marxiste-léniniste (UJCML), fondée en novembre 1966 par les Cercles de l'UEC de l'Ecole normale supérieure et de la faculté de droit, est marquée par l'enseignement du philosophe Louis Althusser. Ce groupe a publié d'abord une revue théorique, les *Cahiers marxistes léninistes*, un journal *Garde Rouge*, organe de la ligne du Parti, puis *Servir le peuple* depuis juillet 1967. Il se partage entre l'éloge

de l'exemple chinois et le soutien à des luttes de base contre la bureaucratie de la CGT.

A l'opposé de ces groupes d'idéologie autoritaire, il faut ajouter les anarchistes et les situationnistes (l'Internationale situationniste, qui se dénomme ainsi à partir de sa faculté de construire des situations irréversibles, existe depuis 1958), se réclamant du modèle historique des Conseils ouvriers et pour qui l'UNEF reste néanmoins un lieu d'intervention. A Nanterre, par exemple, la Liaison des étudiants anarchistes (LEA), issue de divers groupes libertaires dont la CNT (Confédération nationale du travail) et regroupée autour d'un projet d'intervention sur les problèmes de l'enseignement, présente une liste aux élections de l'UNEF. Elle sera élue sous le sigle «Tendance syndicale révolutionnaire fédéraliste».

POSITIONS *sur* L'ENSEIGNEMENT *et le* SYNDICALISME

« **G**igantesque et minuscule », a écrit le sociologue Edgar Morin en parlant des événements de Mai 68. Gigantesque, car ce mouvement est inscrit dans une dimension géopolitique dense en débordements comparables, et minuscule car il a mis sous les projecteurs de l'actualité l'action de petits noyaux d'étudiants dans « l'étrange campus de Nanterre-la-Folie. » Ci-dessus, un tract du LEA ; ci-contre, Alain Krivine, au 1er congrès national de la JCR en mars 1967 ; à gauche, en bas, *La Vérité*, journal des étudiants du CLER, connus sous l'appellation de lambertistes, du nom de Pierre Lambert son dirigeant.

▪▪SITUATIONNISTE, adj. et n. Se dit d'un groupe d'étudiants préconisant une action efficace contre la situation sociale qui favorise la génération en place.**▪▪**

Cette définition du Larousse fit l'objet des sarcasmes de l'Internationale situationniste.

LE RETOUR DE LA CC

A NA

DE LA MISERE
EN MILIEU
ETUDIANT

considérée
sous ses aspects économique, politique,
psychologique, sexuel et notamment
intellectuel
et de quelques moyens pour y remédier

par
des membres de l'Internationale Situationniste
et des étudiants de Strasbourg

- 1967 -

deuxième édition - 4ème mille

Le coup de force de Strasbourg : «De la misère en milieu étudiant»

En novembre 1966, une brochure anonyme de 25 pages, «De la misère en milieu étudiant, considérée sous ses aspects économiques, politiques, psychologiques, sexuels et notamment intellectuels et de quelques moyens pour y remédier», fait scandale. Portant pour toute signature «des membres de l'Internationale situationniste et des étudiants de Strasbourg», elle expose les opinions du nouveau bureau de l'Association fédérative générale des étudiants de Strasbourg, affiliée à l'UNEF.

Dans un style ironique, brillant, volontiers virulent voire injurieux, elle dénonce la mauvaise condition de l'étudiant qui «après le policier et le prêtre, est l'être le plus universellement méprisé», stigmatise sa dépendance «des deux systèmes les plus puissants d'autorité sociale, la famille et l'Etat». Elle attaque les organisations bureaucratiques déclinantes, du Parti communiste à l'UNEF, cautionnées par une intelligentsia de gauche méprisable pour son opportunisme, «incapable de passion réelle». Sa critique du syndicalisme étudiant s'appuie sur une attaque des modernistes de gauche qui revendiquent une réforme structurelle de l'Université : «une réinsertion de l'Université dans la vie sociale et économique». Les idéologies qui traversent

COMME AILLEURS
LA PROBABILITE
CEPENDANT QUE LA CH
C'EST ALORS QUE BONHEUR

Dans la bande dessinée situationniste, *Le Retour de la colonne Durutti*, on peut voir deux cow-boys se dire : «De quoi t'occupes-tu exactement? De la réification? – Non, je me promène principalement» (ci-contre), ou lire : «Leur connaissance de la vie ne devait rien à leur présence épisodique dans l'enceinte des facultés, ni aux quelques diplômes qu'ils avaient acquis par les moyens les plus divers et les moins avouables». En haut, à gauche, la brochure «De la misère en milieu étudiant».

LES IDEES S'AMELIORENT. L
TOUT CE QUI EST DISC
EU RESTERA GRIS TANT Q
QU'ON

OUS de jour

ONNE DURUTTI

ERRE

A PLUS DE HASARD

ES COMPLICITES

OUE LES RENCONTRES.

LHEUR PRENNENT FORME.

*'AMOUR ?
N PARLENT BEAUCOUP
ON LE FAIT TROP PEU !*

*C'EST QUE DANS CES MURS DE
BETON, L'ANESTHESIE
OUQUE L'INDIFFERENCE*

DES MOTS Y PARTICIPE.

EST A DISCUTER.

AURA PAS ETE REINUE

ISE !

amarades !

le milieu étudiant sont critiquées : « L'étudiant est fier de s'opposer aux archaïsmes d'un de Gaulle, mais ne comprend pas qu'il le fait au nom d'erreurs du passé, de crimes refroidis (comme le stalinisme à l'époque de Togliatti, Garaudy, Khrouchtchev, Mao) ». Le scandale que suscite « De la misère en milieu étudiant » va jusqu'à la nomination d'un administrateur judiciaire pour surveiller la gestion des biens de l'Association. *Le Figaro* écrit le 1er décembre 1966 : « Les beatniks tiennent le pouvoir à l'Association des étudiants de Strasbourg, action juridique probable contre eux. » Si les journaux ont quelque difficulté à désigner correctement les situationnistes, deux ans plus tard, leurs formules à l'emporte-pièce, leurs *comics* détournés, leur comportement intransigeant se trouveront en phase avec le mouvement général dont ils formeront une sorte d'avant-garde. Epuisée en deux mois, la brochure est retirée l'année suivante à 10 000 exemplaires. Elle est distribuée à Nanterre au cours du sociologue Henri Lefebvre (pourtant attaqué dans la revue de l'Internationale situationniste), ainsi que la bande dessinée *Le Retour de la colonne Durutti*, conçue par le Strasbourgeois André Bertrand.

Le décryptage des idéologies de la révolte, les surréalistes, les provos hollandais (ci-dessous, leur logo) inspirent les attaques de l'Internationale situationniste. La Commune de Paris (comprise paradoxalement comme la première victoire du pouvoir

PROVO 13

prolétarien), les spartakistes de la Révolution allemande de 1918 et, plus largement, l'existence éphémère des Conseils ouvriers dans les mouvements révolutionnaires (conseils que l'Alsace a connus du 11 au 21 novembre 1918, en liaison avec la révolution allemande) constituent des références qu'ils diffusent avec une rare efficacité sous forme d'affiches en lettres blanches sur fond noir et un sens exemplaire du spectaculaire. Ils ont recours à la bande dessinée, dans des revues comme Le Retour de la colonne Durutti ou sur des affiches (au centre, extraits d'une affiche situationniste à Nanterre).

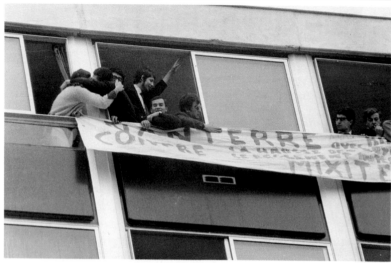

Le 11 janvier 1967 à Strasbourg, le 14 janvier
à Nantes, les Bureaux d'aide psychologique
universitaire (BAPU) – créés par la MNEF (Mutuelle
nationale des étudiants de France), organisme de
gestion de la Sécurité sociale étudiante –, considérés
comme «la réalisation en milieu étudiant du contrôle
para-policier d'une psychiatrie répressive», sont
fermés par les associations locales des étudiants.

Occupation de la
résidence des filles
le 21 mars (à droite);
manifestations en
avril 1967 à Nanterre.

L'occupation des cités universitaires

1 200 «résidents» provinciaux habitent la cité
universitaire de Nanterre. Depuis l'origine, une
association de «résidents» (ARCUN) demande la
libre circulation entre les bâtiments. Le 21 mars
1967, le bâtiment des filles est occupé : «La troupe,
essentiellement composée de garçons, se met en
marche vers les bâtiments C et D. Les portes sont
forcées, le veilleur de nuit un peu bousculé, et l'on
monte dans les étages. Jusque tard dans la nuit,
coincés dans les couloirs du cinquième étage, une
soixantaine d'occupants discutent, chantent, jouent
de la guitare. Vers 6 heures du matin, arrivée de
la police… qui renonce à donner l'assaut»,
raconte Jean-Pierre Duteuil, membre de la LEA.

Ce débordement relativement anodin est pourtant le point de départ d'un mouvement général d'occupation des cités universitaires, à Paris et dans d'autres villes de France, qui mettra fin au règlement obsolète interdisant aux filles les visites masculines.

Cette action correspond à une volonté sans cesse affirmée de ne pas avoir «une sexualité de potache», d'être considéré comme responsable de son

comportement sexuel. La réflexion sur la sexualité traverse l'époque avec une intensité particulière. Elle coïncide en France avec la première loi (loi Neuwirth du 28 décembre 1967) qui sort la contraception de la clandestinité où elle est confinée depuis 1920 et qui inaugure pour les femmes la possibilité d'une vie sexuelle libérée du souci d'une grossesse non désirée et une véritable libéralisation des mœurs.

Un tract du groupe anarchiste de Nanterre annonce une conférence sur «Sexualité et révolution» pour le 17 février 1967 à Paris : «La jeunesse a plus qu'un

Le mouvement d'occupation est repris à Nantes, en mai 1967, avec l'arrivée, au bureau de l'Association des étudiants, d'une nouvelle équipe (Yvon Chotard devient président) influencée par les anarcho-syndicalistes nantais de Force ouvrière et les situationnistes strasbourgeois.

La critique du syndicalisme débouche sur celle de l'enseignement universitaire, «initiation à la domination».

Le 18 décembre 1967, après une seconde occupation de la résidence universitaire (cité Casternau), le président du Bureau des résidents, Juvénal Quillet, est interpellé. Le 23 janvier 1968, des étudiantes occupent la cité Launay-Violette, réservée aux étudiants. Ces actions suscitent la solidarité des syndicats : UNEF, Fédération des résidents universitaires de France (FRUF), SNES, ainsi que CGT, CFDT, FO.

II.**Exigé**:Nous exigeons la fin d'un enseiç
fin du paternalisme primaire, la **fin de la**
geons la naissance d'un réel dialogue, d'uı
étudiant**s**. Nous exigeons que la vie, l'ardeı

simple droit à l'information, elle a pleinement droit
à sa sexualité, on lui a pris ce droit», avec
l'intervention de Boris Fraenkel, traducteur en
France d'*Eros et civilisation* de Marcuse. Le 21 mars,
une conférence sur «Sexualité et répression» par
Mme Revault d'Allones est organisée par l'ARCUN.
A cette occasion, le manifeste de William Reich
*Ce qu'est le chaos sexuel, ce que n'est pas le chaos
sexuel* (1936) est réédité. Reich est, à l'époque,
la référence essentielle à partir de laquelle le sens
politique des comportements sexuels est identifié.
«Contraception et répression sexuelle chez
les étudiants» sera également
l'objet du 20e congrès de la
Mutuelle nationale des étudiants
de France, les 4 et 7 avril 1968,
à Clermont-Ferrand.

*L'*autodérision
des Enragés
de Nanterre,
qui se rapprochent
des situationnistes, se
retrouve dans l'affiche
du 20 janvier 1968,
«En attendant la
cybernétique, les flics.»
Les virgules, devenues
croix gammées,
appuient l'idée selon
laquelle le doyen
Grappin, germaniste
et ancien résistant,
est traité de nazi.

Le droit de rendre visite aux résidentes

Le 14 février 1968, jour de la Saint-Valentin,
l'UNEF et la FRUF (Fédération des résidents
universitaires de France) décident une campagne
nationale pour l'abrogation des règlements
intérieurs dans les cités
universitaires. Le 23 février, Alain
Peyrefitte fixe les droits de visite
pour les résidents : «Nous disons oui
à un élargissement du droit de visite
pour les résidents et les résidentes
qui ont atteint la majorité. [...] Nous
disons non à un principe d'égalité
des traitements pour les majeurs
et pour les mineurs. [...]
Nous disons non à un régime
indistinct pour les garçons
et pour les filles. [...] Admettre
les garçons dans les résidences

EN ATTENDANT
LA CYBERNETIQUE
LES FLICS

Camarades !
Grappin la matraque» épaulé par
son Bouricaud » soutenu par les argu-
ments des Morin & Tournine » a donné
la mesure de ce qu'il veut bien «désa-
vouer » en plaçant son ghetto et leurs
rackets sous la protection de la gen-
darmerie »
Les Accords du Latran qui régis-
sent ce vieux monde et son université
maternité avouent leur ultima ratio
leur raison d'état: le recours à la

violence policière éclaire les con-
tions réelles du «dialogue» sur
campus». Abus de confiance à gau
» Abus de pouvoir à droite

» Pour tirer l'esprit du cachot
«Soufflons nous mêmes notre fo
«Battons le fer quand il est »bra
(L'Internationale)

Nanterre » le »a lanvian-...

nt illusoire et sclérosant, la
lté des "oies gavées". Nous exi
ritable coopération professeur:
la recherche, le vrai travail e

féminines, c'est faire courir à l'ensemble des jeunes filles des risques qu'on ne peut mesurer. [...] Oui à la participation, à la gestion des œuvres. [...] Il est clair que nous devons y regarder à deux fois avant de risquer de déchaîner les passions.»

Le droit égal de visite, avec la cogestion des œuvres

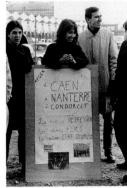

universitaires, constitue aux yeux des étudiants l'essentiel de cette conquête des responsabilités. Les concessions du ministre sont trop minces pour être acceptées. La contestation se propage : le 2 mars, manifestations à Rennes et Besançon sur ces fameux règlements; le 13 mars, grève du restaurant universitaire d'Antony; les 15 et 16, manifestations

Démystification caractéristique de la contestation étudiante, un tract du 14 mars, «Nanterre ou la formation d'oies gavées», constate le caractère mécanique, figé et mort de l'enseignement, en exige la fin et prône des examens à livre ouvert (ci-contre, un extrait). Sur le campus, des étudiants devant un panneau de l'UNEF et de l'AFGEN, où sont affichés des extraits de presse sur les émeutes étudiantes à Caen et leur répression.

Plusieurs tracts parmi les plus significatifs de la période se ressentent de l'influence de l'Université critique de Berlin. «Pourquoi des sociologues?», un tract signé notamment par Daniel Cohn-Bendit et par Jean-Pierre Duteuil,

POURQUOI DES SOCIOLOGUES ?

à Rennes et à Saint-Etienne contre le règlement des résidences universitaires et contre le plan Fouchet.

L'affaire Langlois et la contestation culturelle

Le 9 février 1968, Henri Langlois, qui règne sur la Cinémathèque depuis trente-quatre ans, n'est pas reconduit dans ses fonctions. Aussitôt, 40 cinéastes – dont Gance, Truffaut, Resnais, Franju, Godard, Marker, Astruc, Chabrol, Bresson, Renoir – s'organisent en comité de soutien et interdisent la projection de leurs films. Manifestation le 18 mars devant le siège de la Cinémathèque, rue de Courcelles, avec les lycéens et les étudiants de Nanterre. Manifestation à Grenoble, le 22 mars. Pierre Mendès France demande des

et distribué à la mi-mars, met en perspective l'évolution théorique de la sociologie avec la crise de Nanterre. La sociologie au service de la croissance, de la rationalisation du capitalisme, celle de Michel Crozier et d'Alain Touraine, sont renvoyées dos à dos au profit d'une position critique qui éclaire la fonction sociale de l'Université.

explications à André Malraux. Langlois sera réintégré dans ses fonctions deux mois plus tard. Cette affaire est le coup d'envoi de la contestation dans les institutions culturelles.

L e soir du 22 mars, le Manifeste des 142 est voté à l'issue de l'occupation de la tour administrative.

Le Mouvement du 22 mars

La formation du Mouvement du 22 mars, composante importante du mouvement de protestation, est la conséquence imprévue d'une manifestation sur le Viêt-nam qui tourne mal. Le 20 mars, 300 militants (CVN et JCR) brisent les vitrines de l'American Express, dans le quartier de l'Opéra; des arrestations ont lieu. Le 22, aucune libération n'étant intervenue, l'occupation de la tour administrative de Nanterre est décidée. Les débats qui ont débouché sur cette décision sont connus, puisque enregistrés sur le moment et reproduits dans *Le Mai retrouvé* de Jacques Baynac.

Un tract est rédigé au titre lourd de symbole « Le Manifeste des 142 », en souvenir des 121 écrivains, artistes et universitaires qui approuvèrent le droit à l'insoumission dans la guerre d'Algérie (septembre 1960), signifiant par là une symétrie entre l'engagement étudiant au moment de la guerre d'Algérie et le soutien au FNL de la guerre du Viêtnam. Ce Manifeste des 142 est en fait un simple appel à une journée de débat qui doit avoir lieu le 29 avril. Les thèmes en sont : «Le capitalisme en 1968 et les luttes ouvrières, l'Université et Université critique, la lutte anti-impérialiste, les pays de l'Est et les luttes ouvrières et étudiantes dans ces pays.» Cette alternance entre les thèmes anti-impérialistes et la critique de l'Université marque tous les tracts de Nanterre, comme si la critique de l'Université était insuffisante pour accéder à cet

A l'instar du 22 mars, d'autres regroupements se forment sur ce modèle conjoncturel : ainsi le Mouvement du 25 avril à Toulouse, à l'occasion d'un débat sur les événements de Nanterre, qui dégénère en affrontement entre étudiants d'extrême droite et d'extrême gauche, amenant la police, sur ordre du recteur.

universel que symbolisent les luttes anti-impérialistes ou la solidarité internationale.

Les conflits que Nanterre connaît pendant l'année 1967-1968 mobilisent de nouvelles recrues très recherchées par les états-majors des «groupuscules». Ainsi, l'UJCML, qui vient à Nanterre où doit se tenir, le 2 mai, une journée anti-impérialiste. Ce groupe maoïste, dont les membres les plus éminents appartiennent aux Ecoles normales supérieures (rue d'Ulm et Saint-Cloud), s'est déplacé pour organiser la défense du campus selon les méthodes de combat vietnamiennes, ce qui, selon Jean-Pierre Duteuil, demeure totalement incompréhensible pour les étudiants de Nanterre, dont la force est d'intervenir dans des situations concrètes.

A la faculté des lettres de la Sorbonne, naît le MAU (Mouvement d'action universitaire), à l'initiative de militants de la Fédération des groupes d'études de lettres, tendance dite Gauche syndicale. Le 29 mars, est organisée une rencontre sur les luttes étudiantes en Europe que le recteur Roche interdit. Le MAU est

Le tableau de Jean-Jacques Lebel, *Parfum Grève générale bonne odeur*, de 1960 (page de gauche), conçu dans le contexte de la guerre d'Algérie, à laquelle le Manifeste des 142 fait référence, est une préfiguration des événements politiques majeurs de Mai 1968.

"Monsieur le Recteur, Dans la citerne étroite que vous appelez «Pensée», les rayons spirituels pourrissent comme de la paille. [...] Laissez-nous donc, Messieurs, vous n'êtes que des usurpateurs. De quel droit prétendez-vous canaliser l'intelligence, décerner des brevets de l'Esprit? Vous ne savez rien de l'Esprit. Vous ignorez ses ramifications les plus cachées et les plus essentielles, ces empreintes fossiles si proches des sources de nous-mêmes, ces traces que nous parvenons parfois à relever sur les gisements les plus obscurs de nos cerveaux. Au nom même de votre logique, nous vous disons : la vie pue, Messieurs."

Antonin Artaud
[Cette lettre prémonitoire d'Artaud (1896-1948) est distribuée par tract à Nanterre, puis partout, en mai. Ci-contre et ci-dessus, assemblées et graffiti à Nanterre.]

aussi à l'origine d'un tract distribué le 2 mai : «Pour la première fois dans l'histoire de l'Université, les enseignants de la Sorbonne annoncent publiquement leur intention de refuser de corriger les examens cette année», canular qui oblige l'administration à démentir. Le 2 mai, le groupe d'extrême droite Occident déclenche un incendie dans le local de la FGEL-UNEF.

L'intransigeance des autorités

Le 22 mars, le conseil de faculté de Nanterre vote, parmi d'autres mesures répressives, l'abandon des franchises universitaires. Le 27 mars, Daniel Cohn-Bendit est interpellé sur plainte d'un étudiant. Par ailleurs, une information judiciaire est ouverte à cause du premier *Bulletin du 22 mars*, qui donne la composition du cocktail Molotov et signale que les portes du bâtiment administratif venaient d'être blindées. Conflits et incidents se multiplient.

L'intransigeance des autorités, la deuxième fermeture de l'université décidée le 2 mai par le recteur Grappin et la convocation de 8 étudiants au conseil de discipline de l'Université de Paris, vont amener les contestataires à sortir de leur campus. Le 3 mai, dans la cour de la Sorbonne, 400 à 500 personnes se rassemblent; les orateurs se succèdent.

La publicité donnée à l'affaire du premier *Bulletin du 22 mars* (ci-dessus, le dessin donnant la recette du cocktail Molotov) va pousser les étudiants hors du campus de Nanterre.

La police, sur requête du recteur soucieux d'assurer la «liberté des examens» et de maintenir pour ce faire la Sorbonne fermée, pénètre dans l'université et procède à des arrestations qui sont à l'origine des premiers affrontements violents au Quartier latin : pavés et panneaux de signalisation arrachés, voitures mises en travers de la chaussée comme remparts aux grenades lacrymogènes, près de 600 personnes interpellées. Georges Marchais, dans *L'Humanité* du 3 mai, sous le titre «De faux révolutionnaires à démasquer», dénonce le Mouvement du 22 mars «dirigé par l'anarchiste allemand Daniel Cohn-Bendit».

Samedi et dimanche 4 et 5 mai, 13 étudiants ayant été pris en flagrant délit comparaissent devant la Xᵉ chambre du tribunal correctionnel de Paris. De l'aveu même du préfet de police Maurice Grimaud, «les condamnations sont exceptionnellement sévères en matière de manifestation. Quatre se voient infliger deux mois de prison ferme».

La police à l'université : le 2 mai, fermeture de Nanterre (ci-dessous, les cars sur le campus); le 3 mai, intervention des forces de l'ordre pour évacuer la Sorbonne où se sont regroupés les étudiants de Nanterre (page de gauche).

Cohn-Bendit, traité d'«anarchiste allemand» dans *L'Humanité* du 3 mai, devient Rudi le Rouge dans le numéro du journal *Minute*, du 3 au 6 mai 1968 : «Ce Cohn-Bendit qui, parce qu'il est Juif et Allemand, se prend pour un nouveau Karl Marx.» L'article se termine ainsi : «Nous n'abandonnerons pas la rue à la chienlit des "Enragés".»

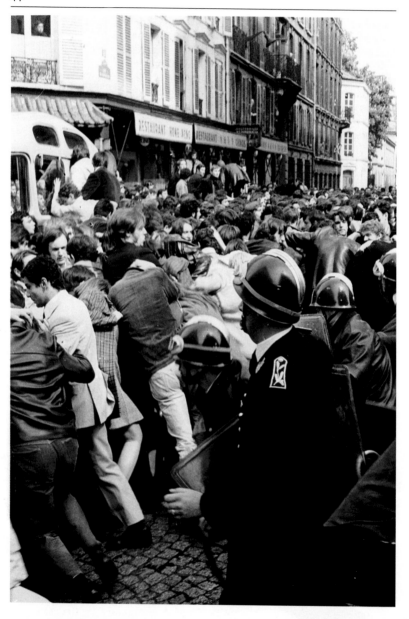

Le 6 mai 1968, l'agitation nanterroise se transporte à Paris. Les manifestations se succèdent dans la capitale, et bientôt, par effet de solidarité, en province. La répression est la seule réponse apportée par les autorités aux attentes des étudiants. Elle cimente leur colère.

CHAPITRE III

BAGARRES ET BARRICADES : L'AFFRONTEMENT

Le drapeau noir des anarchistes réapparaît en force, souvent couplé avec des drapeaux rouges, dans les manifestations et sur les bâtiments publics où il symbolise la confiscation de l'autorité (ci-contre, le drapeau noir à l'ex-Théâtre de France occupé; page de gauche, le 6 mai : confrontations entre les étudiants et les forces de l'ordre).

«Je vous récuse parce qu'aujourd'hui
je n'ai pas en face de moi
mes professeurs, mais des hommes
qui ont accepté de faire le travail
des CRS» : c'est en ces termes
que Michel Pourny, militant de
l'UNEF et membre de la FER,
un des huit étudiants de Nanterre
– dont Daniel Cohn-Bendit, Jean-Pierre Duteuil
et René Riesel – comparaissant le 6 mai devant
la commission disciplinaire à la Sorbonne, récuse
son autorité. Paul Ricoeur, Alain Touraine et Henri
Lefèbvre les accompagnent pour assurer leur défense

Daniel Cohn-Bendit,
avant le conseil
de discipline, le 6 mai.

devant la commission présidée par Robert Flacelière, directeur de l'Ecole normale supérieure et composée des doyens des universités de Paris.

Le Quartier latin, zone interdite

Alors que la police interdit les abords de la Sorbonne, une manifestation a lieu au moment où se déroule ce conseil de discipline. Refoulés jusqu'au boulevard Raspail, Saint-Germain-des-Prés et devant le Sénat, les étudiants se réunissent devant la faculté des sciences de la Halle aux vins; de là, ils se dirigent vers la place

"Les policiers chargent par vagues successives, les manifestants font chaque fois front, mettant des obstacles en travers de la chaussée, obligeant ainsi leurs poursuivants à marquer des temps d'arrêt dont ils profitent pour lancer des volées de pavés.**"**

Lors des affrontements violents du 6 mai, des journalistes (ici, *Le Monde* du 8 mai) ont vu, à tort, au lieu de l'utilisation du pavé comme projectile, la construction des premières barricades.

des Victoires pour refluer ensuite vers le Quartier latin; ils sont de nouveau refoulés par les charges de police vers le boulevard Saint-Germain. Une seconde manifestation appelée par l'UNEF se regroupe à Denfert pour ensuite rejoindre la place Saint-Germain. Dans les deux cas, ce sont des jeunes qui se rassemblent. La mobilisation des lycéens, en effet, a suivi une ascension comparable à celle

A Berlin, Francfort, Liège, des manifestations de solidarité révèlent le caractère international du conflit qui vise à affaiblir l'autorité des Etats. Ci-dessus et pages suivantes, la journée du 6 mai.

du mouvement étudiant. Le bilan de ce 6 mai est lourd : 422 arrestations et de nombreux blessés.

Cette journée préfigure, à quelques variantes près, le scénario des jours suivants. Avec la fermeture de la Sorbonne, le Quartier latin est interdit aux étudiants qui ne cesseront de tourner autour pour le reconquérir ou marquer leur territoire.

Au nom de l'indépendance de l'Université

Car les franchises universitaires ne sont pas pour eux une idée abstraite : les lieux d'enseignement sont dotés d'une extraterritorialité qui suspend les fonctions répressives de l'Etat. L'affrontement entre étudiants et gouvernement a pour objet de litige les limites de la souveraineté de l'Etat et c'est l'illégitimité des décisions prises qui rassemble tous les jours de plus en plus de

manifestants. L'objectif des manifestations de province du 6 mai est en général mal dégagé : simple rassemblement dans les universités, débats à Montpellier, simples doléances pacifiques à Aix-en-Provence, grève totale à Clermont-Ferrand, affrontement avec les forces de l'ordre à Grenoble, cortège vers la préfecture à Caen, ou encore, appel à l'union des étudiants, des ouvriers et paysans à Nantes.

Le mardi 7 mai, la manifestation partie de la place Denfert-Rochereau fait diversion place de l'Etoile où un groupe chante l'*Internationale* devant la tombe du Soldat inconnu, avant de tenter de revenir sur le Quartier latin où des accrochages se produisent : 434 personnes sont interpellées dont 17 maintenues en état d'arrestation. Le journal *Action*, dans son premier numéro, lance un appel à la grève générale et à l'insurrection parisienne.

A Toulouse, sous la présence menaçante des étudiants d'extrême droite, le principe d'une grève illimitée est adopté. On réclame la libération des étudiants parisiens, la fin de l'intervention policière au sein de l'Université et la liberté d'expression étendue aux lycéens. Un pétard au soufre tombé de la verrière de l'amphithéâtre abrège le rassemblement et provoque une panique, d'où une manifestation

La grève du 13 décembre 1967 dans 8 établissements parisiens, puis l'agitation entraînée par l'exclusion d'un élève du lycée Condorcet le 20 janvier 1968 ont contribué à organiser les lycées en Comités d'action lycéens. Encore peu nombreux, les CAL développent une action contre les lycées casernes, la sélection, l'absence de liberté d'expression. Les lycéens seront de toutes les manifestations (ici, le 7 mai, le départ de Denfert-Rochereau).

Le 8 mai, dans l'Ouest, les consignes de grève pour la défense de l'emploi sont largement suivies. A Nantes, le mouvement de grève est total dans la métallurgie, l'industrie alimentaire et chimique, le bâtiment; les transports urbains ne fonctionnent pas. Au Mans, la grève débute dès le mardi soir au centre de tri postal mais dans les usines, le mot d'ordre de grève n'est pas donné; un drapeau américain est brûlé à Brest où 12 000 personnes se sont rassemblées. A Marseille, 3 000 personnes défilent.

vers le rectorat aux cris de «Recteur, démission». La police charge. Alain Alcouffe, président démissionnaire de l'AGET-UNEF, est passé à tabac. A Lille, 3 000 étudiants défilent, à Rennes 4 000; à Strasbourg, débat entre le recteur et les étudiants; à Bordeaux, le SNE-Sup annonce la grève des enseignants; à Nantes, la grève est suivie à 85 % en Lettres et en Sciences; à Lyon, grève en Lettres, en Sciences et à l'Institut national des sciences appliquées; au Mans, des étudiants bloquent la route de Rennes.

Appels au calme, inculpations

Le mercredi 8 mai, l'incertitude plane sur la réouverture de la Sorbonne et les négociations viennent contredire les paroles optimistes d'Alain Geismar qui déclare que «la Sorbonne sera le soir même aux étudiants et aux enseignants».

Les intercessions en faveur d'un apaisement se multiplient : appel des cinq prix Nobel – «Pour que la raison l'emporte», écrit le physicien Alfred Kastler –; formation d'un comité de soutien aux étudiants frappés par la répression, à l'initiative d'un groupe d'écrivains et de philosophes dont Simone de Beauvoir, Jean-Paul Sartre et le militant anarchiste et historien Daniel Guérin. Le ministre de

«Pour que notre révolte ne soit pas la révolte d'un jour, il faut que naisse un mouvement ample, unitaire à la base et organisé.» Les comités regrettent que «l'organisation ne soit pas encore à la hauteur de la magnifique mobilisation qui se réalise». Ci-dessus, le numéro 1 d'*Action*.

l'Education nationale, Alain Peyrefitte, adopte une attitude dilatoire.

Les 17 personnes appréhendées le lundi 6 mai sont inculpées pour violences, outrages à agents et port d'armes prohibées. En marge de ces inculpations, des poursuites pour vol sont engagées contre 4 personnes condamnées de six à huit mois de prison. L'agitation gagne les lycées et les professeurs du secondaire. L'Assemblée nationale modifie son ordre du jour pour débattre des problèmes de l'Université; quant aux manifestations, la situation stagne et toujours le même face-à-face réitéré avec les forces de l'ordre qui défendent l'accès au Quartier latin.

La journée du jeudi 9 mai est sous le signe d'un relatif apaisement. A la pression des milieux universitaires, pour qui la réouverture de la Sorbonne s'impose, répond l'entêtement du ministre de l'Education qui se garde de l'autoriser : seuls les candidats à l'agrégation peuvent y pénétrer.

En province, le mouvement continue : grève totale en Lettres à Clermont-Ferrand, défilé de 4 000

étudiants et jeunes ouvriers de la CFDT à Lyon; défilé avec les centrales syndicales ouvrières à Dijon; occupation de la faculté des sciences à Rennes…

La Nuit des barricades à Paris

La réouverture de l'université de Nanterre, le 10 mai à 9 heures, et la reprise des cours en Lettres n'ont pas apaisé les esprits; et les tensions entre grévistes et non-grévistes s'exacerbent. Les professeurs du SNE-Sup décident de ne pas faire passer les examens tant que les étudiants arrêtés ne sont pas amnistiés. A l'appel de leurs syndicats, les professeurs du secondaire se mettent en grève.

En fin de journée, les étudiants et les lycéens se rassemblent place Denfert-Rochereau; un parcours est décidé, le cortège passera devant la prison de la Santé puis se dirigera vers l'ORTF. Vers 20 heures

« Paris 1968 ou Paris 1871?» questionne *Barricades*, le journal des CAL (à gauche). «La guerre sociale, dont la Commune est un moment, dure toujours», écrit l'Internationale situationniste dès 1962. C'est au nom de cette croyance que lycéens et étudiants de 1968 peuvent, à travers la construction de barricades, vivre cette identification à 1871.

Le 9 mai, devant la Sorbonne fermée, rassemblement pour réclamer la libération des étudiants arrêtés (ci-dessus).

cependant, il s'engage rue Monge pour gagner le boulevard Saint-Germain : la seule issue offerte par les forces de l'ordre est de remonter le boulevard Saint-Michel dont le pont n'est pas gardé. La consigne d'occuper le Quartier latin est donnée.

Qui prend l'initiative de la construction des soixante barricades, de cette frénésie qui s'empare des manifestants dans la recherche des matériaux pour renforcer constamment des échafaudages qui font plus de deux mètres? Nul ne le sait. La première barricade s'élève rue Le Goff vers 21 h 15. Très vite, rue Royer-Collard, rue Saint-Jacques, rue des Irlandais, rue de l'Estrapade, à l'angle des rues Claude-Bernard et Gay-Lussac, au carrefour des rues Saint-Jacques et des Fossés-Saint-Jacques, tout le périmètre immédiat de la Sorbonne se couvre de ces constructions faites en général d'une première rangée de pavés, de voitures

Le Pavé, publié fin mai par un Comité d'information révolutionnaire, aura un seul numéro (ci-dessous), dont la première page est illustrée par Topor.

renversées, de grilles d'arbres et de matériaux
divers, prélevés sur place dans des chantiers.
La Nuit des barricades du 10 mai reste
un phénomène exclusivement parisien.

«On avait envie de faire des barricades»

Ces barricades constituent une ceinture
d'autodéfense autour de la Sorbonne en
coupant les rues transversales et marquent
le territoire enlevé. Ce geste de
réappropriation, dramatisé par les reportages
en direct des radios et les photographies qui
très vite vont lui donner une
dimension esthétique, détient
une force d'exemplarité sans
commune mesure avec leur
capacité logistique : l'enjeu
n'est pas de tuer. Les
barricades ont-elles été
l'agent d'une transformation
des étudiants en révolutionnaires
combattants? Non, selon Herbert Marcuse
– de passage à Paris à l'occasion du cent
cinquantième anniversaire de la naissance
de Karl Marx –, pour qui «le mouvement
étudiant ne correspond pas à une situation
révolutionnaire ni même prérévolutionnaire».

Le rôle de la référence historique, acteur
inconscient de cette Nuit des barricades,
mérite néanmoins que l'on s'y arrête.
On s'accorde à y voir un souvenir des combats
de 1830 ou de juin 1848 alors que précisément
ces références, peut-être trop liées à l'histoire
nationale républicaine, manquent dans
les tracts. Par contre, la Révolution française,
la Commune de Paris et la Révolution russe
y coexistent. L'occultation de l'histoire
républicaine donne aux événements de Mai
leur configuration profonde puisque
c'est au nom de la République que la majorité
gaulliste reprendra l'initiative politique
et que, plus ponctuellement, la manifestation
syndicale du 13 mai réinvestira la place de la

République contournée par les manifestations
étudiantes. En fait, pour les acteurs de Mai 68,
l'histoire se dit à travers une continuité.

Pour Daniel Cohn-Bendit, cette compulsion
barricadière n'avait pas grand sens stratégique
et, visiblement, signifiait autre chose :
« Tout le monde faisait n'importe quoi sans savoir.
Dans la rue Gay-Lussac, il y avait dix barricades
les unes derrière les autres. Ça n'avait aucune
signification militaire ; on avait envie de faire
des barricades. »

Pompidou conciliant

La journée du 11 mai commence tôt pour les
membres du gouvernement. Le général de Gaulle
reçoit à 6 heures du matin Joxe, Fouchet, Foccard
et Mesmer. Le Premier ministre Georges Pompidou,
tout juste revenu d'Afghanistan, tente de calmer
le jeu : « Je demande à tous et, en particulier
aux organisations syndicales représentatives
d'étudiants, de rejeter les provocations de quelques
agitateurs professionnels et de coopérer à un
apaisement rapide et total. » Il annonce que
la Sorbonne sera réouverte à partir du 13 mai

La barricade de 1968 gardait de celle de 1848 ce caractère de trait d'union avec les habitants du quartier qu'elle était censée défendre; mais il ne s'agissait pas d'une solidarité devant le risque ou la décision de mourir ensemble, plutôt une fusion à travers les gestes collectifs de la construction, entraînant l'adhésion des habitants aux événements et une forme de convivialité : «Les rapports avec la population étaient très clairs : tous les gens aux fenêtres et les commerçants nous filaient à bouffer. C'était la fête, le défoulement», écrit Daniel Cohn-Bendit. Philippe Labro remarque également cette solidarité de l'environnement, que l'on retrouve traditionnellement à diverses époques dans la construction des barricades : «Les riverains viendront bavarder avec les étudiants, mais vers deux ou trois heures du matin, les étudiants resteront seuls.» (Ci-contre et pages précédentes, barricades rue Gay-Lussac, dans la nuit du 10 au 11 mai 1968.)

et demande la libération des étudiants arrêtés, libération qui sera ordonnée dès le lendemain. Le déroulement normal des examens est prévu pour les 13 et 14 mai.

Cependant, les dirigeants de la CFDT, de la CGT et de la FEN décident de lancer un ordre de grève générale pour la journée du 13 mai. S'y associent bientôt l'UNEF et le SNE-Sup. De nombreux communiqués expriment leur solidarité avec les étudiants. Une telle polarisation laisse présager de la candidature des partis à la succession et la récupération politique du mouvement étudiant. D'ailleurs, le groupe maoïste l'UJCML ne s'y trompe pas. Absent depuis le 7 mai du Quartier latin, hostile aux barricades de la grande nuit du 10 au 11 mai, il réapparaît et distribue un

Emblème de l'Université autonome de Strasbourg.

tract intitulé « A bas le régime gaulliste antipopulaire » où l'on peut lire : « Les étudiants aussi ont porté des coups à ce régime de répression. Mais les politiciens socialistes, les nouveaux arrivistes de la gauche, utilisent à fond les confusions et les inconséquences d'un mouvement petit-bourgeois. [...] Brisons le contre-courant social-démocrate. »

DÉSOLATION AU QUARTIER LATIN

après les assauts sur les barricades
entre étudiants et policiers
Très nombreux blessés • 400 arrestations

Le même jour à Strasbourg, l'autonomie de la faculté est proclamée. Plus qu'ailleurs sous l'influence du modèle allemand, le mouvement étudiant trouve dans cette proclamation l'aboutissement de l'activité critique qui le caractérise. Un appel à la grève générale (le 9 mai), suivi par la plupart des facultés, une entrée en scène des lycéens rendent possible cette décision d'autonomie. Quatre fonctions – qui restent aujourd'hui encore d'une impressionnante actualité – sont énoncées : développement d'une culture critique, et surtout d'une formation permanente pour

Le lendemain de la première Nuit des barricades (à gauche, la rue Gay-Lussac le matin du 11 mai et ci-dessous, à gauche), la Une des journaux est des plus inquiétantes : « Nuit tragique au quartier latin » (*France-Soir*, ci-dessus). Dans la population, les rumeurs les plus alarmistes circulent sur les événements de la nuit, notamment à propos des gaz utilisés par la police.

les scientifiques, ouverte à tous, et d'une formation professionnelle dont le doyen Zamansky, de la faculté des sciences de Paris, avait signalé l'absence. Une conception de l'Université directement opposée à son fonctionnement fondé sur le respect napoléonien des hiérarchies.

Le récit que le préfet de police, Maurice Grimaud, fait de la reconquête des barricades insiste sur les précautions tant psychologiques que tactiques qu'il dut mettre en œuvre pour éviter dérapages et débordements : « Nous avions donné des instructions très précises à nos fonctionnaires quant à la façon d'attaquer les barricades. L'intervention devait être massive et soutenue. Il ne s'agissait pas de charger au pas de gymnastique. »

La grande manifestation du 13 mai, grève générale d'un jour

...née d'action travailleurs-

PAR MILLION ET MANIF

ont mis en accusation le

Réunis dans leur indignation devant les brutalités policières, les syndicats se sont joints aux étudiants et aux ouvriers pour défiler à Paris et en province. Cortège immense dans la capitale, près d'un million selon les organisateurs et sans débordements, le défilé de République à Denfert durera cinq heures. Son caractère tranquille rompt avec les

À Toulouse (à gauche, devant le Capitole), 40 000 personnes défilent, maire et président du Conseil général en tête.

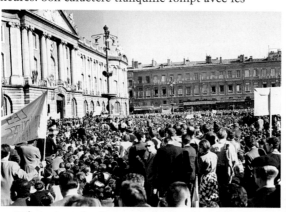

manifestations étudiantes de la semaine précédente. Aux slogans «Libérez nos camarades», «CRS SS», «10 ans ça suffit», «La victoire est dans la rue», s'ajoutent des mots d'ordre tels «Le pouvoir recule, laissons-le tomber», «Gouvernement populaire», «De Gaulle aux archives», «Adieu De Gaulle».

En province, les cortèges rassemblent aussi une population nombreuse : à Saint-Brieuc, 2 000 personnes sont dans la rue; à Caen, 7 000; à Lyon, 35 000; à Toulouse, 40 000; à Limoges, 6 000; à Clermont-Ferrand, violents accrochages entre étudiants et forces de l'ordre; à Marseille, près de 50 000 manifestants; à Strasbourg, 12 000…

Les consignes de grève générale sont diversement suivies mais, par l'ampleur et la résolution de la mobilisation, cette journée est jugée suffisante par les syndicats qui n'envisagent aucune suite à cette démonstration de force.

GRÉVISTES
...ANTS
...s d'une ampleur exceptionnelle
...voir goulliste

La Sorbonne occupée, «ouverte jour et nuit à tous les travailleurs»

Ce même 13 mai, dès 8 heures du matin, la Sorbonne à peine ouverte est occupée par les étudiants. L'annexe de Censier l'est depuis le 11. «La Sorbonne est ouverte en permanence aux travailleurs, l'Assemblée générale du 13 mai décide que l'Université de Paris est déclarée université autonome, populaire et ouverte en permanence, jour et nuit, à tous les travailleurs. L'Université de Paris sera désormais gérée par les comités d'occupation et de gestion constitués par les travailleurs, les étudiants et les enseignants.» Cet acte d'ouverture est vécu comme une aventure exaltante à laquelle sont conviés les enseignants du primaire et du secondaire.

La manifestation du 13 mai rassemble des millions de personnes à Paris et en province (au centre, à la République; ci-dessous, Alain Geismar, Daniel Cohn-Bendit et Jacques Sauvageot). Les consignes de grève sont diversement suivies. Les transports aériens connaissent de fortes perturbations; les services administratifs de la Ville de Paris sont en grève de 5 à 50 %; à la SNCF, les principales perturbations ont lieu dans la banlieue

parisienne; le courrier n'est distribué que dans les zones rurales. Tous les théâtres nationaux sont fermés. Dans l'industrie, le pourcentage de grévistes est peu élevé : aux usines Renault de Flins et du Havre, 90 % des effectifs au travail et au Mans, arrêt total du fait des piquets de grève. Grève totale à la Rhodiaceta de Besançon. 90 % des mineurs du Nord suivent la grève. Partout, de très nombreuses usines restent fermées à cause de la grève EDF.

La Sorbonne occupée

L e plan d'occupation du bâtiment est dressé, chaque salle est attribuée à un comité particulier. Entre ces comités, règne parfois une certaine animosité, des rivalités groupusculaires. Ce qui prime cependant, à la lecture des tracts, c'est le parallélisme établi entre l'action ouvrière et l'action étudiante : «1936 : les ouvriers occupent les usines, 1968 : les étudiants occupent les facultés», proclame un tract du 14 mai, signé Comité d'action. Empruntés aux formes de la démocratie directe, les comités d'action dans des domaines diversifiés – l'université, les quartiers, les entreprises – doivent assurer le lien entre le monde étudiant et les autres secteurs de la vie sociale. L'Assemblée générale est censée concentrer tous les pouvoirs de la Sorbonne occupée, nommer et révoquer le Comité d'occupation. Ce mode d'organisation, même limité à une Sorbonne libérée de l'Etat, veut s'inspirer de l'organisation en conseils, espaces collectifs de délibération et de décision. Sur ces pages, la Sorbonne occupée, à l'extérieur et à l'intérieur, le jour et la nuit.

L'ex-Théâtre de France

Le 15 mai, sous l'impulsion de Jean-Jacques Lebel (en haut, à gauche), initiateur des happenings en France, un millier d'étudiants envahit le théâtre de l'Odéon qui se transforme en forum. Jean-Louis Barrault (ici, avec les étudiants; à gauche, Madeleine Renaud), son directeur, évoque le caractère international du théâtre, en vain. Le ministère de la Culture lance des ordres contradictoires : dialogue le 15; évacuation le 20; liberté d'occuper le lieu de travail le 21; coupure d'électricité et de téléphone le 22. L'évacuation se fera sans douleur le 14 juin.

NI DIEU NI MAÎTRE!

Supports-surfaces, les graffiti

Nanterre, Censier, la Sorbonne, l'Odéon sont
le terrain de prédilection de cet art éphémère
du graffiti qui est certes une forme artistique
très ancienne mais qui, dans la circonstance,
devient le symbole de l'esprit contestataire :
exposé aux yeux de tous, lisible par tous,
tracé par des mains anonymes, intégrant
le support dans le message. Comment
s'étonner de retrouver, sur ces édifices
dévolus à la transmission de la culture (puis ensuite
dans la rue), autant de réminiscences d'écrivains

écrivez !

– Rimbaud, Tzara, Char, Artaud, Breton, Marx –,
de jeux de langage empruntés à des techniques
poétiques (le «cadavre exquis» des Surréalistes)
ou encore d'énoncés volontiers paradoxaux sortis
tout droit de réflexions philosophiques sur le réel,
l'impossible et l'inconscient. Art savant jouant
sur l'arbitraire du signe pour dévoiler de nouveaux
horizons («Des veaux, dévots, des votes», Sorbonne,
hall Richelieu), le graffiti soixante-huitard
dans ses plus belles réussites se situe d'emblée
au-delà des idéologies partisanes, court-circuitant
le discours militant répétitif par l'introduction
d'une dimension existentielle propre à son temps.

Le révolutionnaire du XIXᵉ siècle,
le constructeur de barricades
de 1848 n'aurait pas pu écrire
«Dessous les pavés, la plage»,
car il ne ressentait pas la nostalgie
des vacances, ni celle de la caresse
du soleil.

Des affiches-mots d'ordre

En revanche, la production artistique
des ateliers des Beaux-Arts et des
Arts décoratifs à Paris se situe dans une perspective
de contrôle qui se veut strict, malgré les groupes de
pression. L'atelier populaire présente ainsi son

L es graffiti de 68, en
proposant d'autres
références, entrent
en concurrence
avec l'«écriture
exposée» officielle,
celle des
monuments
et des publicités.

fonctionnement : «Comment travaille-t-on? Les projets d'affiches, faits en commun après une analyse politique des événements de la journée ou après des discussions aux portes des usines, sont proposés démocratiquement en fin de journée en assemblée générale. [...] L'idée politique est-elle juste? L'affiche transmet-elle bien l'idée? Puis les projets acceptés sont réalisés en sérigraphie et lithographie par des équipes qui se relaient nuit et jour.» En occupant, le 14 mai, l'atelier des Beaux-Arts de Paris, le mouvement contestataire entend se doter d'un instrument de propagande, illustrer les luttes et répondre à la demande. Cette production anonyme, compréhensible au premier coup d'œil, volontiers textuelle, après avoir été tirée (tirage variable selon les dates), est rééditée par des imprimeurs. Le relais que les écoles des beaux-arts de province pouvaient offrir à ces œuvres est encore ignoré. S'agissait-il d'imiter Paris à quelques variantes près ou de créer de nouvelles affiches et dans quelle proportion? Dans le midi de la France, on voit apparaître quelques affiches en occitan assurément originales.

L'olympe des vedettes est aussi occupée

Ouvert sur la projection d'*Autant en emporte le vent* de Victor Fleming, le Festival de Cannes s'arrête le 20 mai après l'intervention du

Comité de défense de la Cinémathèque bien décidé à faire appliquer la consigne votée aux Assises permanentes du cinéma, réunies à Paris dans l'école de la rue de Vaugirard. Le retrait de la compétition de plusieurs cinéastes et surtout celui de cinq membres du jury – Louis Malle, Monica Vitti, Roman Polanski, Terence Young et Serge Roulet pour les courts métrages – mettent le Festival dans l'impossibilité de continuer.

Dans les affiches, la part du texte est très importante. Un style général ressort malgré la différence des sujets traités. Ci-dessus et page de gauche, l'atelier de sérigraphie de l'ex-Ecole des Beaux-Arts.

NOUS SOMMES TOUS
iNDESiRABLES

se soumettre

ou

resister

et

vaincre

LA LUTTE CONTINUE

«Nous sommes tous indésirables», cette affiche (en haut, à gauche) remplace la version «Nous sommes tous des Juifs et des Allemands», jugée trop violente, voire raciste, par l'assemblée générale de l'atelier populaire des Beaux-Arts.
Les femmes sont les grandes absentes des affiches de Mai 68. A Toulouse cependant, une affiche, «Se soumettre ou résister et vaincre le capitalisme», avec un visage de femme, se retrouvera dans tous les moments clés que connaîtra le mouvement localement. L'affiche la plus populaire de Mai 68, est celle du général de Gaulle : «La chienlit, c'est lui!» (ci-contre, en haut). L'archaïsme du mot (qui remonte à 1534) fait mouche et déchaîne un flot de commentaires et d'images. «CRS SS», ce mot d'ordre, repris en affiche (ci-contre), en slogan dans les manifestations et en graffiti, que l'on croyait typiquement soixante-huitard, date en fait de 1948. On le voit peint sur les corons, dans *La Grande Lutte des mineurs*, film de Louis Daquin, réalisé dans le contexte des grèves violentes de novembre et décembre 1947. Le double visage de De Gaulle-Hitler (en bas, à gauche) fait partie du discours de l'inversion propre à la période.

« L'issue de la crise actuelle est dans les mains des travailleurs eux-mêmes.» Le 19 mai, le premier rapport d'occupation de la Sorbonne, d'inspiration situationniste, déclare la fin de la lutte étudiante au profit d'un mouvement d'occupation d'usines. La province prend l'initiative de ce mouvement qui va très vite s'étendre à la France entière.

CHAPITRE IV
LA TACHE D'HUILE

Le 16 mai, le Comité d'occupation de la Sorbonne avait constaté le début du mouvement de grève ouvrière avec occupation et appelé à sa généralisation. Ci-contre, les précurseurs : à gauche, Sud-Aviation-Bouguenais, en Loire-Atlantique, dès le 14 mai ; à droite, Renault-Cléon, en Normandie, dès le 15 mai.

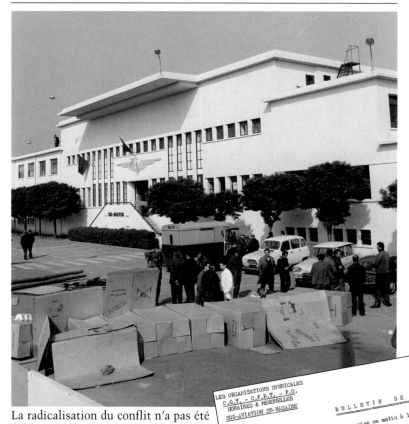

La radicalisation du conflit n'a pas été délibérée, elle n'est pas provenue d'un centre. Personne n'en a prévu l'issue. C'est une sorte d'enchaînement d'actes qui comportent chacun une marge d'incertitude. La généralisation de la grève, au niveau national, comporte aussi les mêmes incertitudes. Il serait mythique de considérer le déclenchement de cette grève générale comme un mouvement unanime dont le caractère spontané finirait par faire oublier la série de multiples décisions dont elle fut la résultante. Ce phénomène de contagion, de proche en proche, s'explique néanmoins par le poids symbolique des

Sud-Aviation-Bouguenais (ci-dessus, avec un bulletin de vote pour ou contre l'occupation, et page de droite).

OCCUPATION DES USINES

CONSEIL POUR LE MAINTIEN DES OCCUPATIONS

usines qui furent les premières occupées, usines phares pour les ouvriers : après Sud-Aviation-Bouguenais, Renault-Cléon, mais tout de même Renault. «Ces deux noms signifient quelque chose. Ils parleront d'eux-mêmes fortement aux oreilles ouvrières de France», écrit François Le Madec.

L'initiative des occupations d'usines revient à la province

Le 14 mai 1968, après un conflit déjà commencé depuis le 9 avril, les ouvriers de Sud-Aviation-

Bouguenais, près de Nantes, occupent leur usine et séquestrent le directeur, qui sera libéré le 29 mai à 17 heures. Le 15 mai, grève et occupation à Renault-Cléon, à l'initiative de jeunes ouvriers de moins de

François Le Madec ajusteur à Sud-Aviation, raconte la fortification de l'usine, dans *L'Aubépine de mai, chronique d'une usine occupée* : «Les portails métalliques côté Ouest et Est sont soudés. Les autres sont solidement verrouillés. [...] Des groupes sont constitués pour surveiller les issues.»

Des études historiques régionales montrent bien l'extension du mouvement de grèves de 1968. Ainsi, dans la région de la Somme : «Les entreprises du département entrent en grève le 17 mai au rythme du pays tout entier. La grève débute au centre SNCF d'Amiens-Longueau, près d'Albert, et chez Saint-Frère à Flixecourt. Elle s'étend à l'initiative des syndicats, dès le lendemain, chez Goodyear et Dunlop à Amiens et aux Cuivres et Alliages de Ham, avec dans les deux derniers cas le dépôt préalable d'un cahier de revendications à la direction. Le mouvement se généralise le 20 mai et se développe à un rythme soutenu jusqu'au jeudi; il se stabilise à un niveau record évalué par l'Union départementale CGT à 100 000 grévistes» (S. Fruitier). En haut, affiche situationniste pour l'occupation des usines.

vingt ans sous contrat provisoire; le 16 mai, la grève
se généralise chez Renault, mais aussi dans la région
de Rouen, de Nantes, autour de Paris, à Rhodiaceta à
Lyon. Le mouvement s'étend le 17 mai : SNCF, PTT;
le 18 mai, les Houillères, début de la grève à la RATP;
le 19 mai, les syndicats de l'enseignement secondaire
lancent leur mot d'ordre de grève et les CAL décident

l'occupation des
établissements;
le 20 mai, Peugeot-
Montbéliard,
Citroën, EDF, GDF
(mais la distribution
de gaz et d'électricité
n'est pas
interrompue), tous
les services publics
et même les
hôpitaux. Le 21,
les grèves s'étendent
aux banques et aux
grands magasins.
Le mouvement est estimé à 7 000 000 de grévistes et
non pas à 10 000 000, comme le répètent les tracts.

«Occuper pour quoi faire?»

Les grèves avec occupation d'usines vont être
plus nombreuses dans les entreprises où la CGT
est majoritaire et où des consignes précises sont

L e *Progrès de Lyon*
du 18 mai fait état
de grèves et occupations
d'usines en série.

LE PROGRÈS

0,40 F
N° 37418

109ᵉ ANNÉE

SAMEDI
18 MAI 1968

JOURNAL RÉPUBLICAIN QUOTIDIEN
Léon DELABACHE, Fondateur   LE JOURNAL DE LYON

85 rue de la République, LYON (2ᵉ)   43-45, avenue de l'Opéra, PARIS (2ᵉ)   Passage Darcy, DIJON (Côte-d'Or)

RENAULT, BERLIET, LES FORGES DU CREUSOT
RHODIACETA ET DE NOMBREUSES USINES
OCCUPÉES HIER DANS TOUTE LA FRANCE

L'ARRÊT DE TRAVAIL DE NOMBREUX CHEMINOTS PARALYSE LE TRAFIC FERROVIAIRE

DE
LE
L
l'Europ
(XIIᵉ
pa

L'occupation signifie d'abord le maintien de l'outil de travail : éviter la détérioration du matériel et prévenir les possibilités de provocation; elle est un moyen de pression sur la direction et sur les ouvriers hostiles à la grève; elle préserve l'unité d'action. (Ci-contre, Renault-Flins et attestation de grève.)

••Le premier geste est de prendre le standard, cela donne un petit air de révolution. Autre geste symbolique, la pose de deux drapeaux rouges et d'un drapeau tricolore sur le fronton de l'usine. Un comité de grève se met en place sous le contrôle d'une Intersyndicale CGT-CFDT. [...] C'est à lui qu'incombe l'organisation, l'usine est divisée en secteurs avec dans chacun d'eux des piquets de grève. Des barrières sont placées. Dans les ateliers, des ouvriers commençaient à huiler et graisser les machines, à ranger le matériel, le stocker.••
Ronan Capitaine,
Dassault-Saint-Cloud en mai 1968 [à gauche, Dassault-Saint-Cloud]

données. En effet, l'organisation de l'occupation, comme celle des loisirs pour les occupants ou pour valoriser l'occupation (opérations portes ouvertes), correspond à un savoir-faire déjà éprouvé à l'occasion de nombreuses grèves et surtout pendant le Front populaire, période de référence pour la CGT. Parfois l'occupation est difficile parce que le site est immense, à Usinor-Dunkerque par exemple, ou parce qu'il est constitué d'un agrégat de sites différents, comme chez Dassault.

Mais elle peut être défaillante du fait des ouvriers eux-mêmes qui préfèrent l'évasion à l'enfermement sur les lieux de travail, s'occuper de leur maison et de leur famille. Chez Peugeot-Sochaux, sur les 25 000 salariés de l'entreprise, environ 24 000 sont repartis chez eux : «Pour la masse de ceux qui repartent, la grève se passe à la radio ou dans le journal», constate

LA GREVE GENERALISEE EN FRANCE

MAI JUIN 68

L'AUTOGESTION L'ETAT

ET LA REVOLUTION

N. Hatzfeld. «Occuper pour quoi faire, elles ne veulent pas se sauver les machines.» Chez Citroën également, il ne semble pas que les occupants de l'usine de Javel aient été très nombreux : «Dans la journée, ça allait, mais la nuit... de 1 à 7 heures, on était une cinquantaine... Dans la journée, il y avait au minimum 100 personnes pour occuper sans compter tous les gens qui se baladaient, qui venaient voir tous les matins, qui venaient discuter», relate un militant CFDT (cité par P. Hassenteufel). Cet absentéisme signifie-t-il pour autant un abandon de la part des ouvriers, une indifférence à la situation? La suite de ces grèves à faible occupation mais pourtant longues et dures, avec affrontements violents contre la police, démontre le contraire. C'est dans la volonté de ne pas arrêter la grève que se manifestera aussi l'opposition des ouvriers au marchandage routinier de la négociation.

Le développement du mouvement de grève montre qu'en dépit d'une surenchère idéologique du thème de l'autogestion, l'idée d'un contrôle ouvrier au sens

L'autogestion et la grève généralisée, thèmes de la revue *Noir et Rouge* (ci-dessus). En haut, Renault-Le Mans. Page de droite, en haut, les chantiers de l'Atlantique à Saint-Nazaire; en bas, affiche contre le vote secret.

Sur les banderoles :

700.000 Chômeurs CAPITALISME = MALHEUR

VIVE LE FRONT POPULAIRE PAPON Souviens toi de CHARONNES (9 Morts) ASSASSIN

UNITÉ COMME EN 1936 CGT CFDT FO CFTC

1936 - 1968 VIVE LE PROLÉTARIAT

LE VOTE À BULLETIN SECRET EST UNE MÉTHODE DU PATRON POUR BRISER L'UNITÉ OUVRIÈRE.

UN OUVRIER QUI N'OSE PAS DIRE SON OPINION DEVANT SES CAMARADES NE MÉRITE PAS LE NOM D'HOMME

où la grève de Lip, par exemple, la mettra en œuvre en 1973, n'est pas présente dans les initiatives et revendications ouvrières de 1968. Les expériences autogestionnaires sont, à l'époque, inexistantes, à de très rares exceptions. Les jeunes ouvriers comme la plupart des étudiants veulent vivre la liberté qu'ils découvrent dans la grève. Cependant, les ingénieurs, les employés et les cadres qui participent aux grèves ont revendiqué des statuts nouveaux, un changement dans le style de commandement et les relations de travail.

"Un groupe de grévistes se réunit en commission et établit un projet de tracts qui devra être discuté par l'ensemble des occupants. Les futurs comités d'ateliers auront pour but de contrôler les cadences, [...] d'interdire les déclassements, de contrôler les essais professionnels et les promotions [...], d'exiger que des suggestions techniques faites par les travailleurs soient [...] signées par les chefs d'atelier en présence de deux représentants du personnel (CGT et CFDT). Les responsables CGT-CFDT, au sein du comité de grève, refusent de tirer le tract et s'opposent à la création des comités d'ateliers."

Notre arme, c'est la grève (Renault-Cléon)

Si les syndicats
n'ont pas déclenché
la grève, ils en font
néanmoins partie
et les Comités de grève
sont le plus souvent
formés de syndicalistes
au titre de leur
expérience, auxquels
viennent s'ajouter
des non-syndiqués,
ce qui donne parfois
un tour non conformiste
aux débats. L'élection
des Comités de grève
(révocables par
l'Assemblée souveraine)
est rarement placée
sous le contrôle direct
des ouvriers. Par
ailleurs, les prises
de parole dans les
assemblées ressemblent
plutôt à des séances
d'informations
qu'à une discussion.
A Javel-Citroën, ces
assemblées comptent
beaucoup plus
de participants qu'il
n'y a d'occupants.
Chez Renault (ci-contre),
se tient chaque jour un
meeting pour informer
les travailleurs et
faire le point. Chez
Thomson, sont créés
des Comités de base
par service.

Pendus et squelettes
sont fréquents
aux portes des usines
en grève (page de
gauche, chez Citroën-
Javel). Le pouvoir
ne fait plus peur, on
s'en moque, on le met
à mort. A la porte E de
l'usine Berliet de Lyon,
rebaptisée Liberté,
anagramme de Berliet,
pend l'un de ces
épouvantails avec
l'inscription
«Je vous ai compris!»

L'émancipation de l'ORTF

Le déclenchement de la grève à l'ORTF n'est pas lié à une manifestation de solidarité avec les étudiants. C'est pour des raisons déontologiques que les responsables de l'information, scandalisés par les censures qui portent atteinte à leur honneur professionnel (communiqué du 11 mai), se rallient au mouvement de grève.

Le 17 mai, l'Assemblée générale du personnel vote la plate-forme de l'Intersyndicale : «Abrogation de la loi créant l'Office de la Radio et Télévision française. Autonomie réelle de l'Office en dehors de toute tutelle du ministère de l'Information, du ministère des Finances, ainsi que de tous les autres ministères ou organismes gouvernementaux.» A l'exception du journal télévisé, toutes les catégories du personnel sont représentées à l'Intersyndicale qui siège en permanence. Les journalistes entreront en grève le 25 mai, après bien des atermoiements portant sur les garanties d'objectivité de l'information. Ceux du journal télévisé le resteront jusqu'au 13 juillet alors que la reprise est amorcée depuis le 25 juin, selon les catégories professionnelles.

Le 31 mai, le centre d'Issy-les-Moulineaux sera évacué par la police et, ce même jour, le directeur de l'actualité présente lui-même le journal. Le 4 juin, la quasi-totalité des émetteurs de l'ORTF est occupée par l'armée en application du plan Stentor. Du 6 au 11 juin, pour soutenir la liberté de l'information et l'autonomie de l'ORTF, artistes, scientifiques, intellectuels, étudiants de l'Opération Jéricho manifestent autour la Maison de l'ORTF. Sous prétexte de réorganisation, un tiers des postes de journalistes sera supprimé le 2 août, 102 journalistes de radio et télévision licenciés.

La révolution manquée

Pendant la nuit du 23 au 24 mai, des barricades s'élèvent à nouveau à Paris, dans le périmètre du Quartier latin; 210 personnes sont arrêtées. Le 24, une manifestation est prévue pour protester

Les manifestants de l'Opération Jéricho défilent autour de la maison de l'ORTF pour la liberté de l'information et l'autonomie de l'ORTF.

contre l'interdiction de séjour en France de Daniel Cohn-Bendit qui vient de lui être signifiée au poste frontière entre Forbach et Sarrebruck. A 16 heures, une manifestation organisée par la CGT se déroule dans le calme; à 17 h 30, des cortèges d'étudiants et de travailleurs convergent vers la gare de Lyon aux cris de «Les usines aux travailleurs», «Nous sommes tous des Juifs allemands», «Le pouvoir est dans la rue», «Ouvriers et étudiants solidaires»... Les heurts avec les forces de l'ordre ont divisé le cortège en deux : l'un reste dans le quartier Saint-Antoine, à la Bastille, où des barricades faites de troncs d'arbres sciés sont élevées; l'autre se dirige vers la place de la Bourse où un début d'incendie

❝Autonomie et liberté de l'ORTF a la douleur de vous faire part du décès de la liberté d'expression et d'information survenu le 4 août 1968, date à laquelle 102 journalistes ont été licenciés ou mutés. Regrets.❞

Hautes-Pyrénées

DEUX CENTS TRACTEURS BLOQUENT LES ROUTES

se déclenche. La place de l'Opéra et les grands boulevards sont investis, la manifestation déborde le circuit habituel des étudiants avant de revenir au Quartier latin; le commissariat du Ve arrondissement est assiégé, celui de la rue Beaubourg saccagé. Bilan : 500 blessés parmi les manifestants, 212 parmi les forces de l'ordre, 795 personnes interpellées.

A Lyon, des barricades sont dressées, un commissaire de police, le commissaire Lacroix, est tué par un camion lancé par des manifestants.

"L'ombre des décisions de Bruxelles pour la viande et le lait plane sur la mobilisation paysanne. Les agriculteurs bigourdans sont descendus dans la rue sur leurs tracteurs. Dans la plupart des cantons, des rassemblements de 10 à 40 engins barrent les axes principaux : Tarbes, Pau, Bordeaux, Toulouse, Auch. Participation de nombreux jeunes." (Article «Hautes-Pyrénées»)

Haute-Garonne

CARBONNE : DEUX MILLE PAYSANS MANIFESTENT

PLACE AU PEUPLE

A Toulouse, la mairie est ouverte aux manifestants par la municipalité; à Bordeaux, heurts avec les forces de l'ordre; à Strasbourg, on construit des barricades par solidarité avec Cohn-Bendit. Ce même jour, des manifestations paysannes ont lieu dans toute la France, à l'appel de la Fédération nationale des syndicats d'exploitants agricoles et du Mouvement de défense des exploitations familiales pour marquer leur solidarité avec les étudiants et les ouvriers. La nuit du 24 mai fut généralement considérée comme un tournant, perçu par le préfet de police lui-

"Les paysans ne seront plus les serfs et les esclaves des temps modernes». Un comité d'action s'est constitué." (Article «Haute-Garonne»)

"Pompidou démission». Un millier de paysans se sont rendus à Carjac, dont le premier ministre est conseiller municipal." (Article «Lot»)

Lot

5.0(
RÉ

A Nantes, les tracteurs convergent vers la ville (ci-contre). Un Comité de grève du port de Nantes – officiers et marins – est aussi créé.

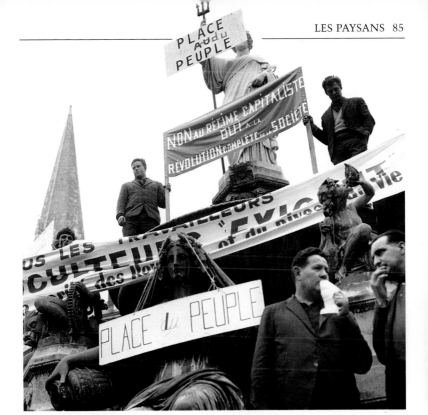

même, Maurice Grimaud, qui y voyait se déployer «un style de guérilla urbaine». Si la manifestation parisienne ne débouche pas sur une prise de pouvoir, c'est peut-être parce que, en dépit des multiples références aux révolutions passées, cette hypothèse n'existe pas pour les manifestants et les organisateurs. Tout au plus un sentiment physique de la vacance du pouvoir est ressenti.

MANIFESTANTS S A CAHORS

Ne pas arrêter la grève : non aux accords de Grenelle

C'est dans la volonté de ne pas arrêter la grève que se manifeste l'opposition des ouvriers au marchandage routinier de la négociation. Renault-Billancourt teste le 27 mai au matin les accords de Grenelle. Les

C'est à Nantes, organisée en commun avec les syndicats ouvriers, enseignants, étudiants, que la manifestation prendra son tour le plus violent. Rassemblés aux quatre coins du département, les syndicalistes convergent sur Nantes avec leurs tracteurs. Des affrontements ont lieu devant la préfecture, la place Royale est rebaptisée par les paysans en place du Peuple (ci-dessus).

négociations, commencées le 25 mai, sont menées
par le gouvernement avec une certaine précipitation :
«Je souhaite que la négociation s'engage avec la
volonté d'aboutir», assure Georges Pompidou le matin
du 24 mai. Etabli entre gouvernement, patronat et
syndicat au ministère des Affaires sociales, rue de
Grenelle, et non pas à Matignon comme en 1936, le
protocole d'accord comprend neuf points dont, parmi
les plus importants, le relèvement du salaire
minimum, l'augmentation des salaires, la réduction
du temps de travail et le paiement des jours de grève.
Le rejet de l'accord par les ouvriers de Renault, usine-
phare de l'industrie, mais aussi l'accueil défavorable
qu'il reçoit chez Citroën à Paris, Berliet à Vénissieux,
Sud-Aviation à Marignane et à Nantes, Rhodiaceta
à Vaise, relancent la grève dans la France entière.
   Le vendredi 24 mai, à 20 heures, le général de

Gaulle avait demandé au pays de lui renouveler
sa confiance par l'organisation d'un référendum,
discours jugé catastrophique par Raymond Aron
lui-même : «On a l'impression d'entendre le fantôme
d'un spectre ou le spectre d'un fantôme. Il propose
un référendum que le Conseil d'Etat a le courage de
déclarer immédiatement contraire à la Constitution.»
   Avec le refus des accords de Grenelle par
les ouvriers, les partis de gauche croient venu le
moment de lancer une offensive antigaulliste.
A l'appel de Jacques Sauvageot, un meeting a lieu
au stade Charléty le lundi 27 mai, près de la Cité
universitaire. «Meeting d'impuissance qui d'un côté

A la table des accords de Grenelle (page de gauche), on peut voir le ministre des Affaires sociales M. Jeanneney, le Premier ministre Georges Pompidou, Jacques Chirac, secrétaire d'Etat à l'Emploi, et Georges Séguy (de gauche à droite sur la photo). Ci-dessus, le général de Gaulle lors de son intervention télévisée du 24 mai.

Entre le vote à bulletin secret organisé par la direction et le vote par acclamation requis par les syndicats s'instaure une forme de duel, chaque partie contestant la légitimité de la position de l'autre. Ci-contre, les ouvriers de l'usine Citroën à Javel, refusant les accords de Grenelle et l'arrêt de la grève, par vote à mains levées.

n'engendre pas d'action et de l'autre ne s'engage pas explicitement dans une opération de restructuration du pouvoir gouvernemental (Mendès France est là, mais ne dit mot) », écrira Daniel Cohn-Bendit dans *Le Grand Bazar*. François Mitterrand propose Mendès France comme Premier ministre et annonce sa candidature à la présidence de la République. Le Parti communiste publie un communiqué : « Il n'y a pas en France de politique de gauche et de progrès social sans le concours des communistes. »

Le 29 mai, de Gaulle disparaît et va consulter le général Massu à Baden-Baden. Le 30 mai, à 11 heures, Valéry Giscard d'Estaing déclare que « le gouvernement qui, malgré un sursis, n'a réussi

Une foule nombreuse et désireuse d'apporter son soutien à de Gaulle défile le 30 mai de la Concorde à l'Etoile. L'extrême droite, pour la circonstance, devant l'imminence du péril communiste et malgré son antigaullisme, s'est jointe à cette manifestation. Ni de Gaulle ni Pompidou ne sont présents.

ni à établir l'autorité de l'Etat, ni à remettre la France au travail doit partir de lui-même».

La contre-manifestation gaulliste

Le même jour à 16 h 30, coup de théâtre : le général de Gaulle, dans un discours pugnace et incisif, annonce qu'il ne se retirera pas, ne changera pas de Premier ministre et qu'il dissout l'Assemblée nationale.

A Paris, de 18 à 20 heures, à l'appel de diverses organisations gaullistes, 300 000 à 1 000 000 de personnes défilent de la Concorde à l'Etoile. Le succès de la manifestation surprend même ses organisateurs. En province, à Angers, au Havre, à Rennes, à Rouen, à Besançon et à Caen, des manifestations similaires se déroulent. Par un effet boule de neige jusqu'au 1er juin, elles auront lieu dans la plupart des villes françaises, grandes et moyennes, avec parfois, parallèlement, l'organisation de contre-manifestations.

Un nouveau gouvernement est formé. Pompidou est maintenu Premier ministre, mais la volonté de tourner la page est manifeste. Les ministres en charge des secteurs mis à mal par les événements sont remplacés : Justice, Intérieur, Jeunesse et Sports, Affaires sociales, Information. Alain Peyrefitte est remplacé à l'Education nationale par François Ortoli. La préparation des élections législatives commence pour le gouvernement comme pour les partis de gauche – «L'union des forces de gauche se fera au second tour», déclare Waldeck-Rochet pour le Parti communiste.

Négociations et reprises du travail

Les négociations avec EDF aboutissent à un projet d'accord. A la RATP et aux PTT, des mouvements de reprise se dessinent. A la SNCF, le 2 juin, des négociations s'ouvrent. Les reprises du travail s'amorcent aux Charbonnages de France, dans les

Au premier plan, le 30 mai, les figures du gaullisme, Malraux, Debré, Schumann (sur la photo), Mauriac et les barons de l'UDR.

Manifestants à Charléty, le 27 mai, pour le meeting organisé par l'UNEF (ci-dessus). Pierre Mendès France a ainsi commenté le discours de De Gaulle du 24 mai : «Un plébiscite, cela ne se discute pas, cela se combat.» Présent à Charléty, il décline l'invitation à prendre la parole.

CAMARADES IL FAUT SAVOIR TERMINER UNE GREVE
(oui après satisfaction totale des revendications).

houillères du Bassin de Lorraine, dans les chantiers parisiens du bâtiment, dans les entreprises du papier-carton. La CGT communique : «Dans certaines branches parfois fort importantes, les discussions demeurent difficiles, du fait des patrons et du gouvernement.»

Objectivement, pour les syndicats, la seule issue de la grève est la négociation menée sous leur responsabilité sur la base d'une augmentation des salaires et de la liberté syndicale. Il fallait arrêter le mouvement. Le gouvernement envisage également de rétablir l'ordre dans l'Université afin de mettre en œuvre une réforme profonde (Georges Pompidou le 3 juin).

Dans la métallurgie, le patronat refuse un accord national sur les salaires, la réduction de la durée du travail et les droits syndicaux. Chez Michelin, le 4 juin, la reprise s'amorce, elle se confirme dans les secteurs du textile et de l'habillement. La situation se dégrade dans l'industrie automobile et surtout à la Régie Renault; le jeudi 6 juin, à la demande de la direction de l'usine, les piquets de grève de l'usine de Flins sont expulsés par un millier de CRS. Chez Citroën, les votes pour la reprise dans les différentes usines se multiplient; les syndicats en contestent la régularité.

Le Parti communiste et la CGT voient d'un mauvais œil l'incursion des étudiants et leurs actions de solidarité avec les grévistes.

la cause du peuple
JOURNAL du FRONT POPULAIRE
ÉDITION DE NANTES
JEUDI 6 JUIN

CONTRE LES CAPITULARDS
VIVE LA RESISTANCE PROLETARIENNE !

Ils prônent le retour au travail (tract du haut et extrait du discours de Waldeck-Rochet du 10 juin, page de droite). Les résistances s'organisent, en particulier à Nantes et dans l'industrie automobile (en haut, refus de la reprise chez Citroën-Javel).

La résistance des ouvriers de l'automobile

Après la dispersion de la manifestation du 1er juin, à Paris, où sont présents Force Ouvrière, l'Intersyndicale de l'ORTF, de Nord-Aviation et de l'Institut français d'opinion publique (IFOP), Jacques Sauvageot lance un appel pour que le plus grand nombre aille individuellement chez Citroën et à Billancourt. «Les travailleurs nous attendent pour discuter et voir comment nous pouvons avec eux nous organiser pour continuer la lutte.» Le 4 juin, chez Renault, la situation se tend entre partisans et

La solidarité ouvriers-étudiants s'exprime très fortement au cours du mois de juin. Déjà, les tracts émis par le CLEO (Comité de liaison étudiant-ouvrier), entre le 16 et le 30 mai,

Après avoir tenté de dévoyer le mouvement de grève, ont essayé de saboter la reprise du travail dans des entreprises où les revendications étaient satisfaites

adversaires de la grève. A Flins, le vote sur la reprise du travail ne peut avoir lieu; Billancourt se prononce aussi pour la poursuite de la grève.

Le 7 juin, le général de Gaulle, lors d'un entretien télévisé, après avoir attaqué l'entreprise communiste totalitaire, se prononce pour la participation «qui implique que soit attribuée, par la loi, à chacun, une part de ce que l'affaire gagne». Ce discours ne calme pas le jeu et laisse incrédules les ouvriers en grève.

affirmaient, au nom de la symétrie des luttes étudiantes et ouvrières, l'importance de cette jonction. Un appel aux soldats, du 17 mai, accentuait encore la symétrie des conditions jusqu'à les présenter comme indifférenciées : «Vous étiez hier ouvriers, étudiants, chômeurs.» Ci-dessus, une affiche des Beaux-Arts stigmatisant la détente.

Flins, Sochaux

Le jour même, l'usine Renault de Flins est réoccupée par les grévistes; à l'origine, un meeting tenu par les syndicats à Elisabethville près de Flins, d'où Alain Geismar lance un appel à l'occupation. Plusieurs milliers de jeunes ouvriers, et des étudiants venus de Paris, s'affrontent violemment aux forces de police. De son côté, le Mouvement du 22 mars déclare que là se joue l'avenir du processus révolutionnaire. La CGT dénonce les groupes étrangers à la classe ouvrière entraînés quasi militairement. L'épisode de Flins deviendra emblématique de la «résistance prolétarienne» et de l'entraide étudiants-ouvriers.

Le mort par noyade dans la Seine, près de Meulan, d'un lycéen de dix-sept ans, Gilles Tautin, au cours d'une rafle de police, entraîne des manifestations violentes et des barricades au Quartier latin; des voitures flambent, la chapelle de la Sorbonne sonne le tocsin.

Aux usines Peugeot à Sochaux, le lendemain, le mardi 11 juin, un jeune gréviste de vingt-quatre ans, Pierre Beylot, est tué par balle au cours des affrontements avec la police. Le 12 juin, la direction de l'usine ayant donné l'ordre d'expulser les occupants, Henri Blanchet, quarante-neuf ans, est tué lors de heurts violents entre policiers et grévistes. A Paris, une marche silencieuse des lycéens se déroule sans incident.

Derniers affrontements

La manifestation organisée par l'UNEF, gare de l'Est, pour protester contre «une répression qui s'étend aux ouvriers, étudiants et aux étrangers», est interdite, ce qui provoque une dispersion des groupes dans la ville et de violents affrontements sur la rive gauche comme sur la rive droite : 194 blessés chez les manifestants et 75 chez les policiers.

En province, des manifestations violentes ont lieu. Pour la première fois à Toulouse, des barricades sont édifiées, les événements prennent un tour violent, inhabituel pour une ville où la municipalité a défilé aux côtés des manifestants. A Saint-Nazaire, heurts

Les étudiants manifestent après la mort de Gilles Tautin (en haut). A Peugeot-Sochaux, les derniers affrontements entre policiers et grévistes font deux morts, Pierre Beylot et Henri Blanchet (affiche ci-dessus).

violents entre ouvriers métallurgistes des chantiers navals et forces de l'ordre; à Lyon, des manifestations se dirigent sans succès vers la prison; violents accrochages à Strasbourg le 12 juin où les étudiants marquent leur solidarité avec les ouvriers de Flins et de Sochaux.

La reprise en mains

Le Conseil des ministres prononce le 12 juin la dissolution de tous les groupes d'extrême gauche, trotskistes, anarchistes ou pro-chinois, ce qui entraîne de nombreuses arrestations. Toute manifestation pendant la campagne électorale est interdite sur l'ensemble du territoire.

Les journées du 11 et 12 juin représentent les derniers pics de violence. Le 16 juin, la Sorbonne est

À Toulouse, à proximité du commissariat central, une première barricade est dressée. Après la riposte des forces de police, une nouvelle barricade est construite, dont l'une très haute dans la rue du Poids-de-l'Huile, près du théâtre du Capitole : bancs en ciment démolis, poteaux de signalisation et panneaux électoraux abattus, chaussée dépavée. Le jet d'eau d'une lance d'arrosage protège les défenseurs de la barricade des effets des lacrymogènes. Cependant, une barricade qui prend pour bouclier une affiche (ci-contre), s'inscrit dans le spectacle de la résistance plutôt que dans la violence guerrière. Une dimension symbolique de l'affrontement est aussi présente en Mai 68.

plus jamais ça

MOINS DE 21 ANS voici votre bulletin de **VOTE**

évacuée. Le secteur de la métallurgie résiste; ce n'est que le 17 juin que les ouvriers de Renault et de Saviem décident la reprise du travail. Peugeot reprend le 20 et Citroën, le 24.

Le 23 juin, le premier tour des élections est un succès pour la majorité gaulliste qui recueille 142 siège sur 154. Recul des communistes et de la Fédération de la gauche, mais progrès du PSU. Mendès France est battu à Grenoble.

Le dimanche 30 juin, les candidats de l'Union des Républicains et des Républicains indépendants obtiennent 6 700 000 suffrages contre 6 100 000 pour la gauche.

68 et après

Les événements de Mai 68 sont-ils à l'origine des mouvements sociaux qui marquent la décennie 1970-1980 : autogestionnaires, libération des femmes, communautaires? L'idée d'un contrôle ouvrier n'est pas présente en 1968 dans les initiatives et revendications ouvrières. La place des femmes dans ce mouvement d'insubordination générale est subalterne. Elles participent aux manifestations, se font arrêter, molester en nombre, mais les groupuscules reproduisent les modèles de domination sexuelle en vigueur dans les organisations traditionnelles du mouvement ouvrier. Elles ne sont pas porte-parole du mouvement. Celles qui fonderont, en 1970, le Mouvement de libération des femmes, et qui venaient souvent de groupes gauchistes, ont vivement ressenti cette subordination. La dimension fusionnelle du vivre ensemble en toute transparence

Cette affiche, qui recoupe l'idée d'élections-trahison, s'inscrit dans la revendication de l'abaissement à 18 ans de la majorité électorale. Pour le PSU, dans *Le Journal du Rhône* (quotidien lyonnais du 24 mai au 27 juin), il serait inadmissible que la masse des étudiants, à l'origine du mouvement, soit tenue à l'écart des prochains scrutins.

Renault vote, le 17 juin, l'arrêt de la grève (ici, la reprise) pendant la campagne électorale. Des affiches gaullistes utilisent, en le détournant, le graphisme de l'atelier des Beaux-Arts : «Plus jamais ça» (à gauche, en haut) ou «Halte au communisme totalitaire, oui à la défense de la République» avec un poing levé, mais barré de rouge.

Après le raz de marée gaulliste et la dissolution des groupuscules, des étudiants se retrouvent au Festival d'Avignon. La dénonciation de la commercialisation de la culture se fixe sur la personne de Jean Vilar, directeur du Festival depuis 1947. Elle prend pour cible l'interdiction préfectorale signifiée à la troupe américaine, le *Living Theatre*, de jouer, gratuitement dans la rue, *Paradise Now* (ci-dessous), symbole de la contre-culture.

est très présente en 1968 comme utopie. Mais le temps bref de l'événement, l'exceptionalité des moments vécus n'ont pas permis l'invention d'une vie quotidienne.

Mai 68 n'est pas une répétition de l'histoire, ni même une commémoration des révolutions des xixe et xxe siècles. Ce mouvement, marqué par la grâce de l'éphémère, a néanmoins, de source autorisée, ébranlé pendant deux mois, les institutions françaises.

TÉMOIGNAGES ET DOCUMENTS

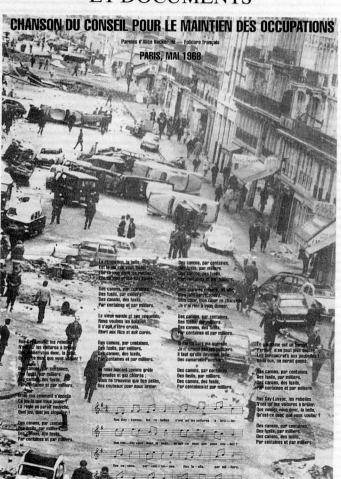

Mots d'ordre, mots de désordre

Une interactivité s'instaure entre les paroles des partis politiques, du gouvernement et celles de la rue qui retourne les formules à l'envoyeur.

L'affiche des Beaux-Arts de Paris « Nous sommes tous des Juifs et des Allemands », jugée trop violente, est censurée par l'Assemblée générale et remplacée par l'intitulé « Nous sommes tous des indésirables ».

« Nous sommes tous des Juifs Allemands », lance-t-on autour du 3 mai dans les manifestations en réponse à deux articles de presse : « De faux révolutionnaires à démasquer » dans L'Humanité du 3 mai et un article de Minute (du 2 au 8 mai), qui reprend à son compte une tradition antisémite du XIXᵉ siècle que l'affaire Dreyfus avait réactivée (1894-1914).

De faux révolutionnaires à démasquer

Malgré leurs contradictions, ces groupuscules – quelques centaines d'étudiants – se sont unifiés dans ce qu'ils appellent Le Mouvement du 22 mars Nanterre, dirigé par l'anarchiste allemand Cohn-Bendit.

Non satisfaits de l'agitation qu'ils mènent dans les milieux étudiants – agitation qui va à l'encontre des intérêts de la masse des étudiants et favorise les provocations fascistes –, voilà que ces pseudo-révolutionnaires émettent maintenant la prétention de donner des leçons au mouvement ouvrier.

Georges Marchais,
L'Humanité,
3 mai 1968

« Parce qu'il est Juif et Allemand »

La première mesure concerne ce Cohn-Bendit qui, parce qu'il est juif et Allemand, se prend pour un nouveau Karl Marx. Nous l'aurions volontiers accueilli s'il n'était venu que pour bénéficier de l'enseignement de nos maîtres mais NOUS N'ADMETTRONS PAS QUE CE PROVOCATEUR CONTINUE À JOUER CHEZ NOUS LES RUDI LE ROUGE.

Dans le tumulte actuel, ce Cohn-Bendit doit être pris par la peau du cou et reconduit à la frontière sans autre forme de procès.

Et si nos autorités ne s'en sentent pas le courage, nous connaissons un certain nombre de jeunes Français que cela démange d'accomplir ce geste de salubrité publique.

NOUS N'ABANDONNERONS PAS LA RUE À LA CHIENLIT DES « ENRAGÉS ».

Minute,
2-8 mai 1968

Les DÉPORTÉS déclarent dans «Le Rescapé» de juin 1968 : Hitler... pas mort

L'Association départementale des Déportés, Internés, Résistants et Patriotes de Loire-Atlantique, s'étonne des manifestations qui ont eu lieu devant les Tables Mémoriales des Victimes des Guerres et du Monument élevé à la mémoire des 50 otages à NANTES. Ces manifestations ont été organisées par des groupes à caractère politique dans l'après-midi du samedi 1er juin 1968. L'Association ne comprend pas que de telles formations utilisent le souvenir des disparus au profit d'une propagande à laquelle le respect de la mémoire de ceux qui sont morts pour la liberté ne saurait être associé.

D'autre part, une pancarte portant les mots «COHN-BENDIT À DACHAU» a été remarquée dans le cortège de la manifestation organisée par le Comité Français pour l'Ordre et la Légalité, le 1er juin dernier à NANTES.

Les DÉPORTÉS s'indignent de cette exhibition qui tendrait à prouver des sentiments favorables aux méthodes d'extermination contre lesquelles le monde entier s'insurge.

Les Rescapés des Camps de Concentration qu'ils soient de DACHAU ou d'ailleurs, particulièrement sensibilisés par le rappel des épreuves terribles qu'ils y ont connues et où ont péri des milliers de leurs camarades, rappellent qu'ils luttent pour le respect de la personne humaine et se déclarent révoltés par la proclamation publique de tels mots d'ordre.

« La chienlit c'est lui ! »

La formule en différé du général de Gaulle, « La réforme oui, la chienlit non », transmise le 19 mai par le ministre de l'Information, M. Gorse, et confirmée par le Premier ministre, suscite un flot de commentaires et de réactions diverses. Parfois, le thème de la chienlit recoupe les propos du ministre de l'Intérieur, M. Fouchet, qui, le 24 mai, dénonce l'action de la pègre à côté de celle des étudiants.

« A de Gaulle »

« M. Maurice Clavel, invité par l'Elysée à exprimer son opinion sur la crise, a remis le mémorandum suivant à M. Bernard Tricot, qui l'a transmis au Chef de l'Etat. »

Le mouvement de notre jeunesse, et particulièrement de ceux qu'on appelle les enragés ou trublions, est spirituellement magnifique. Il rend l'espoir à notre pays et à d'autres. Pour ma part j'y retrouve à peu près ce qu'avait rêvé la jeune résistance française – communiste comprise, en dehors de l'appareil stalinien. Et voici qu'aujourd'hui mes élèves de philosophie, les meilleurs, les plus pensifs, ont lutté sur les barricades. Voici que le désordre a quelque chose de constructif et de prometteur. Voilà pourquoi le mot chienlit, s'il est vrai

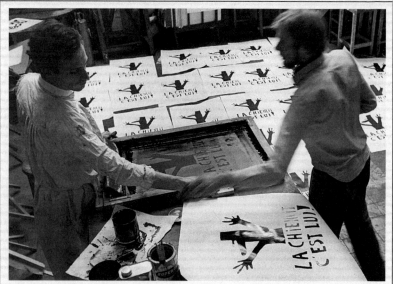

L'atelier populaire de l'ex-école des Beaux-Arts réalisant, en sérigraphie, une des versions de l'affiche «La chienlit c'est lui!».

que le général de Gaulle l'a prononcé, est un crime contre lui-même.

Un crime et une sottise. Si de Gaulle fait tout pour briser l'hégémonie américaine, comment peut-il refuser que la jeunesse française se révolte de toute sa générosité contre la société américaine, source, substance et but de cette hégémonie ?

Comment a-t-il pu, lui, que l'on pouvait croire d'essence spirituelle, nous imposer ce monde et ce genre de vie matérialiste, aliénant, désespérant ? Il y a là une sorte de péché contre l'esprit, que le sursaut de notre jeunesse rachète, aux yeux de notre histoire future.

Et non seulement notre jeunesse étudiante. Les jeunes ouvriers, véritables initiateurs de la grande grève, ont bousculé leurs syndicats. Le mot d'ordre d'autogestion lancé par la CFDT,

mot d'ordre révolutionnaire et non point anarchiste mais libertaire, trouve en eux d'étranges échos. Il gêne, irrite, et parfois entraîne des éléments de la CGT et du Parti communiste. L'hégémonie stalinienne et le réformisme alimentaire sont menacés.

A vrai dire je doute assez peu que le général de Gaulle ne prépare un grand coup à sa manière – peut-être ratifiant et instituant cogestion ou autogestion. Cette façon d'utiliser les secousses à des fins importantes lui ressemble. Et ce projet aurait à ses yeux le mérite de diviser ou d'embarrasser la gauche. Pourtant j'espère encore que sa nature profonde et l'événement le porteront au-delà des habiletés dérisoires. Je souhaite que son souci d'éviter l'irréparable et de rentrer en grâce auprès du peuple français, l'amèneront à changer de fond en comble une équipe

LA CHIENLiT C'EST ENCORE LUi !

Autre variante!

gouvernementale matérialiste et à ce titre absolument méprisée.

Au reste en dehors de la sinistre et funeste expérience de Vichy, on n'a jamais entrepris de révolution contre les révolutionnaires.

Maurice Clavel,
Combat,
24 mai 1968

«Cher général de mon cul»

Ayant considéré que vous êtes :
– le responsable de la chienlit qui empuantit le pays
– le fossoyeur de l'espoir de la jeunesse créatrice
– l'idole chevrotante de faux «anciens combattants» et de vrais maquereaux
– le masturbateur du chauvinisme cocoricant des soi-disant défenseurs de la France

– la preuve agonisante du déclin de l'enculage de mouches des luttes politico-syndicales
– le partenaire de Séguy dans le susdit enculage
– enfin, par votre récente tentative de nous noyauter, le symbole de l'écroulement du paternalisme sirupeux.

Nous vous demandons de bien vouloir rester parmi nous quelques semaines encore afin de parachever votre entreprise de destruction de la société capitalo-socialo-totalitaire distributrice de denrées sexualo-alimentaires anesthésiantes.

Nous vous laisserons ensuite à la lente décomposition de vos cellules atrophiées par trois quarts de siècle de narcissisme. […]

La pègre estudiantine
toulousaine
et Midi-Pyrénéenne

Dessin de Siné pour la couverture de *L'Enragé*.

Le style de 68

Le style de 68 est celui de lettrés dont les références poétiques et philosophiques, notamment à Antonin Artaud, René Crevel ou Arthur Rimbaud, donnent la trame d'un langage commun.

A la Sorbonne…

« Lettre aux recteurs des universités européennes »

A Nanterre, un tract diffuse une lettre prémonitoire d'Antonin Artaud (1896-1948).

Monsieur le Recteur,

Dans la citerne étroite que vous appelez « Pensée », les rayons spirituels pourrissent comme de la paille…

… Mais la race des prophètes s'est éteinte. L'Europe se cristallise, se momifie lentement sous les bandelettes de ses frontières, de ses usines, de ses tribunaux, de ses universités. L'Esprit gelé craque entre les cris minéraux qui se resserrent sur lui. La faute en est à vos systèmes moisis, à votre logique de 2 et 2 font 4. La faute en est à vous, Recteurs, pris au filet des syllogismes. Vous fabriquez des ingénieurs, des magistrats, des médecins à qui échappent les vrais mystères du corps, les lois cosmiques de l'être, de faux savants aveugles dans l'outre-terre, des philosophes qui prétendent à reconstruire l'Esprit. Le plus petit acte de création spontanée est un monde plus complexe et plus révélateur qu'une quelconque métaphysique.

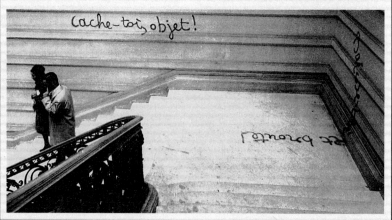

Laissez-nous donc, Messieurs, vous n'êtes que des usurpateurs. De quel droit prétendez-vous canaliser l'intelligence, décerner des brevets de l'Esprit ?

Vous ne savez rien de l'Esprit. Vous ignorez ses ramifications les plus cachées et les plus essentielles, ces empreintes fossiles si proches des sources de nous-mêmes, ces traces que nous parvenons parfois à relever sur les gisements les plus obscurs de nos cerveaux.

Au nom même de votre logique, nous vous disons : la vie pue, Messieurs. Regardez un instant vos faces, considérez vos produits. A travers le crible de vos diplômes, passe une jeunesse efflanquée, perdue. Vous êtes la plaie d'un monde, Messieurs, et c'est tant mieux pour ce monde, mais qu'il se pense un peu moins à la tête de l'humanité.

Antonin Artaud

Le tract poursuit, se référant à un slogan surréaliste :

Aujourd'hui plus que jamais, face à la gestapo du Pouvoir, la révolution se fait dans la rue. L'Etat (ses structures socio-policières, politico-culturelles) s'écroulera sous la pression des travailleurs révolutionnaires : LA RÉVOLUTION DOIT ÊTRE FAITE PAR TOUS ET NON PAR UN. Saccagez la culture industrielle, vive la création collective permanente.

Comité d'Action Révolutionnaire,
mai 1968

« L'Amnistie des yeux crevés »

Version strasbourgeoise d'un texte écrit à Censier, Paris, autour du 13-20 mai :

ETUDIANTS

Pendant plus d'une semaine nous avons manifesté en masse et, quand cela fut nécessaire, déterminés, nous nous sommes battus.

Nous avons cru alors que notre situation pouvait changer.

Hier, l'ensemble des syndicats, CGT en tête, ont manifesté leur solidarité à notre égard et fait à notre mouvement un enterrement de première classe.

Quant au pouvoir, il a réussi à ce que l'ordre règne, ramenant la situation à son point de départ, au *statu quo* antérieur.

Et voilà ce qu'aujourd'hui il faut entériner ! Des centaines de blessés et de mutilés pour revenir à notre point de départ !

Cela nous ne l'acceptons pas. Nous voulons que l'espoir né pendant ces jours de manifestation trouve son expression dans un mouvement irréversible.

Etudiants, notre choix idéologique doit être clair. Les barricades sont nécessaires mais non suffisantes. Les tracts ne sauraient tenir lieu de pensée politique et les slogans de réalisations.

Le texte qui suit se veut une amorce de programme
Il se veut une base de pensée et d'action
Il n'est pas une doctrine ni même un manifeste.
Mais il doit le devenir.

APPEL AUX ETUDIANTS

Etudiants, il ne faut pas vous laisser duper une fois de plus.

Etudiants, il faut prendre conscience de ce que nous avons tous fait confusément à la hâte et dans la rue.

Etudiants, il faut être lucide et ne pas accepter d'être récupérés, assimilés ou compris avec nos petits problèmes de mineurs, de privilégiés, de mauvaise conscience de non-prolétaires.

A Strasbourg…

Etudiants, nous sommes des adultes, nous sommes des travailleurs, nous sommes des responsables. Exposons clairement ce que nous voulons et nous devons prendre le temps de le savoir.

Thèse 1 : Il n'y a pas de problème étudiant. L'étudiant est une notion périmée. Nous sommes des privilégiés, non économiquement, mais parce que nous seuls avons le temps et la possibilité matérielle, physique, de prendre conscience de notre état et de l'état de la société. Abolissons ce privilège et faisons que tout le monde puisse devenir privilégié. […]

«Sur champ de feu, défi à la servitude diplômée»

Ceux d'entre les étudiants qui entendent poursuivre le gigantesque mouvement de contestation sorti – beau comme le dégel de l'intelligence – des barricades de la nuit du vendredi, et le faire tourner à la confusion et à la déroute de l'Université bourgeoise, doivent aspirer consciemment à renverser de fond en comble le système universitaire et académique.

C'est trop peu, Camarades, que de concrétiser le bénéfice des récentes manifestations en jetant le discrédit sur quelques ministres, un préfet, un recteur et trois ou quatre bataillons de flics. Vous êtes-vous interrogés sur le rôle, à tous égards bien davantage néfaste, de cette autre catégorie de flics qui se targuent d'être vos maîtres, d'exercer un contrôle sur vos aptitudes en fonction de droits et de devoirs de l'esprit parfaitement caducs ?

C'est sur eux aussi, ne l'oubliez pas, qu'il vous appartient de passer condamnation.

ETUDIANTS, vous l'êtes d'un monde qui est tout entier à refaire. A quelque service d'un prétendu état d'esprit de gauche vous songiez à vous mettre, il serait consternant que vous consentiez à passer pour de simples réformateurs d'un système qui – quelque profond bouleversement vous lui ferez subir – se réconciliera toujours, par-dessus vos têtes, avec la bourgeoisie.

Université critique ? Allons donc ! Jamais l'enseignement que vous assènent des gens en place ne fera cas de ce que vous escomptez lui opposer de plus contradictoire au plus éclatant de votre jeunesse et de vos désirs. […]

Camarades parisiens ! On dit que le calme est revenu au Quartier latin, que la brume de cendres qui montait de la rue ce Samedi matin sera à nouveau déchirée à grands coups de férule prédicante. On dit que vous êtes prêts à reprendre place dans les amphithéâtres sans plus vous soucier des profondes lézardes creusées dans l'édifice. Sûrement, la presse, la radio vous calomnient !

Dites-vous bien que ceux qui, de guerre lasse, vous incitent à parlementer avec eux afin de promouvoir une université nouvelle, n'ont rien de plus pressé que de sauver les apparences, de restaurer – à moindres frais – les murs de leur Sorbonne. « Ce musée Dupuytren des gloires séniles », comme la désignait le poète René Crevel. [...]

1. La crise actuelle ne saurait se réduire au sein de l'Université. Elle est d'une espèce autrement générale et sérieuse. Elle réside en ce fait qu'aujourd'hui, panorama fait des connaissances de notre temps, il s'agit de passer de la certitude et du confort moral et matériel au doute actif puis à la négation absolue en vue d'une refonte totale de l'Entendement humain.

2. L'ampleur de ce qui se passe à Paris n'a de sens que si la volonté de refus manifestée prend effet dans l'audace d'une INSURRECTION PERMANENTE CONTRE TOUT PRINCIPE D'UN ENSEIGNEMENT OFFICIEL.

3. La capacité dévorante de refus, de contestation de la jeunesse a trouvé moyen de se configurer. Rien ne saurait la prendre au dépourvu. Elle ne peut que grandir et se fortifier dans un sentiment de révolte qui lui est aussi naturel que d'aimer avec fureur et de respirer.

La Sorbonne occupée...

4. Nous convions tous les étudiants qui ne sont pas possédés de l'hystérie des études, à se fédérer. Ne reprenez pas le chemin d'une Sorbonne où on espère bien vous renfourner du même pas soumis que vos aînés. Cette université, il est moins urgent de la transformer que de créer une AGITATION SANS PRÉCÉDENT DANS LES ESPRITS.

A dater de ce printemps, vous ne vous humilierez plus jamais devant les officiants de la parole poncive cocardés de palmes académiques, qui s'y sont fait si désastreusement entendre.

Lyon, le 15 mai 1968,
Le Groupe l'Ekart

« Ce que veulent les anarchistes »

Et d'abord qui sont ces hommes au drapeau noir ?

Des provocateurs ? Des voyous venus des bas-fonds comme le dit le sinistre Fouchet ?

Ou bien plutôt des révolutionnaires décidés à en finir une fois pour toutes avec la pègre du pouvoir, de tous les pouvoirs. [...]

Reprenant le mot de Rimbaud nous voulons « changer la vie ». Nous voulons réaliser l'unité dans l'infinie diversité, exalter les différences et bannir la totalité (et son corollaire le totalitarisme) qui est l'écrasement de ces mêmes différences.

Nous voulons transformer la quotidienneté médiocre et astreignante en une fête libératrice qui apporte à l'être la plénitude de la vie.

Nous n'acceptons plus les lendemains de fête.

Nous voulons que la révolution soit une fête perpétuelle et la vie de chacun une œuvre d'art à réaliser.

Groupe anarchiste
« Front Noir »

Occupations : de la faculté à l'usine

Face aux événements, l'occupation est la réponse évidente et partagée, à l'université, à l'usine et… au théâtre.

Le Manifeste des 142

Texte voté par les occupants de la tour administrative de Nanterre le 22 mars 1968 :

A la suite d'une manifestation organisée par le comité Vietnam National, pour la victoire du peuple vietnamien contre l'impérialisme américain, DES MILITANTS DE CETTE ORGANISATION ONT ÉTÉ ARRÊTÉS DANS LA RUE OU À LEUR DOMICILE PAR LA POLICE.

Le prétexte invoqué était les attentats qui eurent lieu contre certains édifices américains à Paris.

Le problème de la répression policière contre toute forme d'action politique se repose à nouveau.

Après

– Les flics en civil à Nanterre et à Nantes.

– Les listes noires.

– La trentaine d'ouvriers et d'étudiants emprisonnés à Caen, et dont certains sont encore en prison.

– Les perquisitions et arrestations continuelles contre les étudiants de Nantes qui mirent à sac le rectorat…

Le gouvernement a franchi un nouveau pas. Ce n'est pas aux manifestations que l'on prend les militants, MAIS CHEZ EUX.

Pour nous ces phénomènes ne sont pas un hasard ;

Ils correspondent à une offensive du capitalisme en mal de modernisation et de rationalisation. Pour réaliser ce but, la classe dominante doit exercer une répression à tous les niveaux.

– La remise en cause du droit d'association pour les travailleurs.

– L'intégration de la sécurité sociale.

– Automation et cybernétisation de notre société.

– Une introduction des techniques

psycho-sociologiques dans les entreprises pour aplanir les conflits de classe (on prépare certains d'entre nous à ce métier).

Le capitalisme ne peut plus finasser. NOUS DEVONS ROMPRE AVEC DES TECHNIQUES DE CONTESTATION QUI NE PEUVENT PLUS RIEN.

Le socialiste Wilson impose à l'Angleterre ce que de Gaulle nous impose. L'heure n'est plus aux défilés pacifiques comme celui organisé par le SNE-SUP jeudi prochain sur des objectifs qui ne remettent rien en cause dans notre société.

Pour nous l'important est de pouvoir discuter de ces problèmes à l'université et d'y développer notre action.

NOUS VOUS APPELONS À TRANSFORMER LA JOURNÉE DU VENDREDI 29 EN UN VASTE DÉBAT SUR

– Le capitalisme en 68 et les luttes ouvrières.

– Université et université critique.

– La lutte anti-impérialiste.

– Les pays de l'Est et les luttes ouvrières et étudiantes dans ces pays.

POUR CELA NOUS OCCUPERONS TOUTE LA JOURNÉE LE BÂTIMENT C POUR DISCUTER DE CES PROBLÈMES PAR PETITS GROUPES DANS DIFFÉRENTES SALLES.

A chaque étape de la répression nous riposterons d'une manière de plus en plus radicale et nous préparerons dès maintenant une manifestation devant la préfecture des Hauts-de-Seine.

Texte voté par 142 étudiants occupant de nuit le bâtiment administratif de la faculté de Nanterre, 2 contre et 3 abstentions.

«Le Manifeste des 142 voté à l'issue de l'occupation», in *Nanterre, 1965, 66, 67, 68, Vers le Mouvement du 22 mars*, Jean-Pierre Duteuil, Mauléon, Acratie, 1988

Mots d'ordre à diffuser maintenant par tous les moyens

(tracts – proclamations au micro – comics – chansons – peinture sur les murs – ballons sur les tableaux de la Sorbonne – proclamations dans les salles de cinéma pendant la projection ou en l'arrêtant — ballons sur les affiches du métro – chaque fois qu'on lève le coude dans un bistrot – avant de faire l'amour – après l'amour – dans les ascenseurs)

Occupation des usines
Le pouvoir aux conseils de travailleurs
Abolition de la société de classe
A bas la société spectaculaire marchande
Abolition de l'aliénation
Fin de l'université
L'humanité ne sera heureuse que le jour où le dernier bureaucrate aura été pendu avec les tripes du dernier capitaliste
Mort aux vaches
Libérez aussi les quatre condamnés pour pillage pendant la journée du 6 mai
Comité d'occupation de la Sorbonne, 16 mai 1968 – 19 heures

L'occupation de Sud-Aviation Bouguenais-Nantes

Récit, par un des acteurs, de la première occupation d'usine :

Mardi 14 mai 1968, comme d'habitude, plusieurs débrayages sporadiques. Les délégués syndicaux doivent être reçus en début d'après-midi. [...]

L'ambiance est explosive, les slogans sont hurlés, on peut voir la tension sur les visages, les quelques jaunes qui prennent le risque de rester au travail sont pris à partie. On sent le drame dans l'air. [...]

Le défilé se dirige vers l'extérieur de l'entreprise, sous les fenêtres de la

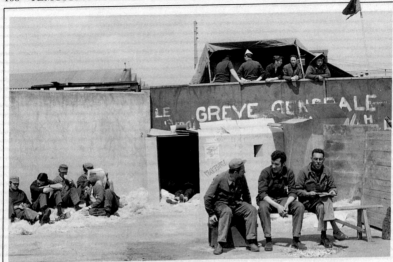

Les occupants de Sud-Aviation-Bouguenais. direction où les délégués sont reçus. La chanson *Le Père Duvochel* retentit. *L'Internationale* fuse. [...]

15 h 30 : nouveau rassemblement général, les délégués sont sortis des bureaux de la direction. Le responsable CGT grimpe sur un montage métallique, les visages sont inquiets...

Quelle nouvelle ? Le résultat est encore négatif.

La masse s'ébranle spontanément, des ordres retentissent [...]. L'escalier est gravi par une grappe humaine qui se retient au garde-fou. [...] Enfin la porte cède, le flot pénètre dans la salle de traçage, les slogans s'amortissent sur les plaques insonorisées du plafond. Les mensuels restent pétrifiés. Que vont-ils faire ? Ils sont appelés à se joindre à la masse, un moment de flottement... les gars essayent de contacter les délégués des mensuels, la masse avance à travers les bureaux, la colère gronde à nouveau, certains mensuels ne veulent pas s'y joindre. Enfin les délégués mensuels appellent au débrayage : un cri de victoire jaillit parmi les occupants. [...]

Le directeur surgit flanqué de son chef du personnel. Il arbore un sourire en coin et proclame : « Je suis votre prisonnier, faites de moi ce que vous voudrez. » [...]

Déjà, durant cette phase de l'assaut, des gens effrayés par l'ampleur de la révolte se sont enfuis précipitamment de l'entreprise. Mais spontanément l'occupation s'organise. Des délégués arrivent en trombe et demandent que tous les « choumacs » les suivent afin de bloquer les issues pour empêcher les tièdes de quitter l'entreprise. Des gars gardent déjà les sorties principales.

[...] Les Portails métalliques côtés ouest et est sont soudés. Les autres, s'ils ne sont pas soudés, sont solidement verrouillés. L'occupation se « fortifie », une prise de parole a lieu dans la cour, des groupes sont constitués pour surveiller les issues. [...]

Les scellés sont maintenant bien posés sur toutes les portes et issues de l'usine. Tout au long des mille huit cents mètres du mur d'enceinte qui clôture la boîte, on se livre à un travail fébrile d'organisation et de fortification des postes-sentinelles.

Francis Le Madec,
L'aubépine de Mai, chronique d'une usine occupée. Sud-Aviation Nantes, 1968, Nantes CDMOT, 1988

Occupation usine Renault-Cléon

La CGT est décidée à Cléon à donner une suite au Mouvement du 13 mai. Le mardi, les militants ont pour mission de descendre dans les ateliers et de prendre la «température» après la grève du lundi.

Avant les événements du Quartier latin, avant le 13 mai, les confédérations syndicales avaient décidé de faire du mercredi 15 mai une «journée nationale d'action pour l'abrogation des ordonnances sur la Sécurité sociale», action très limitée (un débrayage d'une heure en général dans les entreprises), sans grandes perspectives.

La base, elle, est assez favorable à une extension de la lutte à condition qu'elle ne soit pas un simple baroud d'honneur, après le 13 mai, mais dans la mesure où tout le monde suivrait, que la grève puisse se développer.

Un tract CGT-CFDT appelle donc les travailleurs à débrayer le 15 mai :
– de 9 heures à 10 heures pour l'équipe du matin à la normale,
– de 15 heures à 16 heures pour l'équipe du soir,
– en fin de poste pour l'équipe de nuit.
Un meeting doit avoir lieu devant l'entrée de l'usine pour chaque débrayage.

d'o...
impress...
doubler le...

Les jeunes o...
d'agitateurs. Ce so...
les slogans, ce sont eux...
à la tête des manifestants...
complaisance les responsables...
improvisant un service d'ordre. Bie...
un millier de grévistes défilent plusieu...
fois dans l'usine. Les jeunes ont obligé les cadres syndicaux à prolonger d'une demi-heure le débrayage.

L'ensemble des manifestants se retrouve sous les fenêtres de la direction. Il n'est plus question d'abrogation des ordonnances mais :

« Aux bureaux ! Aux bureaux ! Comité de grève ! »

A ce moment, un responsable CFDT prend la parole pour apaiser les esprits, félicite l'ensemble des grévistes pour leur belle action et propose qu'elle se renouvelle dans les jours qui suivent.

A demi déçu, chacun retourne à son travail, discute de ce qui vient de se passer. Jusqu'à 14 h 30 les ouvriers vont souvent interrompre leur travail, repartir de la grève et la commenter aux camarades qui viennent prendre la relève.

L'après-midi : ceux-ci sont informés de ce qui se passe chez Sud-Aviation à Bouguenais. Ils ont pu, à midi, écouter les informations à la radio ou lire la nouvelle dans leur quotidien.

A 15 heures, un petit groupe d'ouvriers (moins nombreux que le matin même) démarre l'action. Les jeunes sont de nouveau en tête et animent le mouvement.

« Notre arme, c'est la grève ».
La Grève chez Renault-Cléon, Maspero, 1968

Appel du 8 mai 1968 du Conseil Etudiant de Strasbourg

[...] Les étudiants réunis en CONSEIL ETUDIANT le 9 mai 1968 dans l'enceinte de la Faculté décident :

1. d'engager les débats pour les étendre dans toutes les facultés de Strasbourg et de France afin de rendre la grève et l'occupation des locaux effectives.

2. de poursuivre la grève illimitée à l'appel de l'UNEF.

a) Jusqu'à la libération de nos camarades emprisonnés avec amnistie totale.

b) Jusqu'à la reconnaissance effective de notre existence en tant que CONSEIL ETUDIANT AVEC TOUS LES POUVOIRS QUI SONT LES NÔTRES DÉSORMAIS : c'est avec nous que les Pouvoirs Actuels devront compter pour tout ce qui concerne notre avenir, celui de l'Université. Nos Conseils seront vigilants pour éviter toutes les tentatives de récupération des transformations profondes que notre mouvement – par son existence même – commence à opérer.

3. Nous lançons un appel à nos camarades de toutes les Universités de France : a) Afin qu'ils se constituent eux aussi en Conseils Etudiants.

b) afin qu'ils entreprennent une critique radicale et constructive de l'Université et de la Société dans laquelle elle s'insère : en particulier réflexion sur le système des examens pouvant aboutir au boycott pour obtenir satisfaction dans nos revendications immédiates.

4. Nous appelons les centrales syndicales d'enseignants et de la Classe Ouvrière à se joindre à notre action.

Des barrages routiers à l'autodéfense : Nantes, 24 mai-31 mai

Les barrages routiers autour de Nantes ont été mis en place à partir du vendredi

---

...ciés : à Strasbourg,
...onomie de l'université;
...la Loire-Atlantique est
paralysée, les commerces
y sont fermés ; à Toulouse,
le maire justifie son attitude
conciliante.

P endant le blocus de la Loire-Atlantique...

24 mai. Les transporteurs en grève ont bloqué les principales artères avec l'aide des lycéens et étudiants pour renforcer leurs effectifs. Après le 26 mai, le syndicat FO – dominant dans les Transports, à Nantes – a agi en liaison avec le Comité central de Grève qui venait de se constituer. Le Comité central de Grève distribuait déjà des bons d'essence ; il fut chargé en outre de délivrer des autorisations aux camionneurs pour que seules les marchandises nécessaires aux paysans ou au strict ravitaillement des grévistes puissent passer. […]. Les quatre principaux accès étaient surveillés par des piquets de 500 camionneurs et étudiants. Il y a eu quelques vitres brisées et pneus dégonflés pour les briseurs de barrages. Mais pas de pillage. Les flics n'osaient pas disperser leurs forces pour attaquer. Les mairies se faisaient plus ou moins complices de l'organisation mise en place.

Ainsi, pendant plusieurs jours, toute une ville a été isolée, les barrages fonctionnant comme filtres, prêts, même, à une résistance armée, si les maigres forces policières encore à la disposition du préfet voulaient intervenir. […]

Nantes aura donc vécu pendant une semaine dans une situation quasiment d'auto-défense, que seul le démantèlement des autorités publiques a évité de se manifester violemment.

Cahiers de Mai, n° 1, 5 juin 1968, « Nantes, toute une ville découvre le pouvoir populaire (ouvriers, paysans, étudiants) »

Lettre du maire aux Toulousains

Toulouse, 27 juin 1968 […]

Interprétant les événements et les commentant malicieusement, certains n'hésitent pas à propager les plus odieuses des insinuations tendant à faire du Maire de Toulouse le complice de ceux qui ont tenté, vainement, ici, ce qui, hélas, a été le lot de nombreuses Villes de France.

Ils poursuivent le but de ruiner auprès de vous le crédit très large qu'en toutes circonstances vous n'avez cessé de m'accorder.

Je vous dois de rétablir la vérité :

OUI j'ai parlé au balcon du Capitole, à côté des drapeaux noirs et rouges, MAIS ON OUBLIE DE DIRE QUE CELA ÉTAIT POUR APAISER UNE FOULE DE PLUS DE CINQ MILLE MANIFESTANTS DONT, EN L'ABSENCE DE TOUTE PROTECTION POLICIÈRE, L'UN D'EUX AVAIT, POUR LES METTRE EN PLACE, ESCALADÉ LA FAÇADE DU MONUMENT.

OUI, j'ai fait ouvrir les portes de la Mairie, MAIS ON OUBLIE DE DIRE QUE CES PORTES ALLAIENT ÊTRE ENFONCÉES ET L'ENSEMBLE DE L'ÉDIFICE ENVAHI, ALORS QUE SEUL L'ACCÈS DE LA COUR A ÉTÉ DONNÉ.

Ce soir-là, par la fermeté de mon attitude, de celle des Elus républicains qui m'entouraient […], L'ORDRE A ÉTÉ MAINTENU À TOULOUSE JE VOUS LAISSE À PENSER CE QU'AURAIT PROVOQUÉ DANS NOTRE SUD-OUEST, L'ANNONCE DE L'OCCUPATION DU CAPITOLE DE TOULOUSE PAR LES ENRAGÉS QUE VOUS SAVEZ.

Fidèle à leur enseignement, je suis certain que Jean-Jaurès et Léon Blum, ces grands Patriotes, n'auraient, ni l'un, ni l'autre, désavoué mon attitude conforme à ce que vous attendez de modération, de sagesse de celui que vous avez mis à la tête de notre Cité. […]

Louis Bazerque, maire de Toulouse

Guerre et paix

Le pragmatisme tranquille du Grand Orient de France s'oppose aux discours alarmistes et aux escalades de toutes sortes sur les rumeurs de guerre civile et l'appel au contingent.

Les chiens de garde

MATÉRIEL UTILISÉ PAR LES CRS CONTRE LES MANIFESTANTS

– Grenades offensives (souffle puissant)
– Grenades au chlore (brûlures aux poumons et perte de la vue)
– Grenades incendiaires (brûlures de la peau et des yeux) […]
– Acide pur (brûlures de la peau et des yeux)
– Gaz de combat CN CS CZ CW déjà employés couramment par des Américains au Viêt-nam. Ils provoquent l'asphyxie et la mort.

Ces engins ont servi cette semaine au Quartier latin pour les attaques dans les cafés, dans le métro, dans les autobus, les magasins, les appartements. MAINTENANT C'EST CLAIR Nous sommes les cobayes pour les expériences d'une police sadique qui a déjà à son actif Charonne et les tortures d'Algérie. Des milliers de jeunes venus manifester ont été matraqués, pourchassés, bestialement battus. Nous savons déjà de façon certaine qu'il y a eu : – Des blessés matraqués sur les

GRAND ORIENT de FRANCE
déclaration
Les Francs Maçons du Grand Orient de France

rappellent que :

Dès 1965 leur Assemblée Générale demandait en conclusion de ses débats :

" QUE L'AGE DE LA MAJORITÉ SOIT ABAISSÉ à CELUI DE LA FIN DE
" L'OBLIGATION SCOLAIRE, ELLE-MÊME PORTÉE à 18 ANS ".

La jeunesse de notre pays vient d'apporter la preuve de sa maturité et de sa volonté d'assumer ses responsabilités.

Le Grand Orient de France demande que dans les délais les plus brefs, le droit de vote soit donné aux citoyennes et aux citoyens français, dès l'age de dix huit ans et que,

l'instruction civique, indispensable à l'exercice d'un régime démocratique, retrouve dans les programmes scolaires la place qui n'aurait jamais dû cesser d'être la sienne.

30 mai 1968

Le Conseil de l'Ordre du
GRAND ORIENT de FRANCE
16, rue Cadet - Paris 9e
770.35.16 +

brancards (Fondation Curie)

– Des membres de la Croix-Rouge systématiquement matraqués

– Des médecins battus rue Gay-Lussac – Des grenades dans les infirmeries – Des saignées à blanc dans les commissariats (Panthéon) – Des blessés à qui la police a refusé des soins pendant plus de 24 heures – Des jambes, des bras, des mains arrachés – Des paralysés à vie – Des comateux – Un étudiant égorgé par un flic sur un carreau de fenêtre 24 rue Gay-Lussac – Des morts en plus des morts de Lundi soigneusement censurés par le pouvoir et la «Presse d'Information».

On a cherché à nous imposer le silence au nom du secret médical en fabriquant de faux rapports médicaux. La grève des étudiants en médecine, les protestations de nos professeurs, la conférence de presse à l'UNEF sur les moyens employés par la police, celle des médecins de l'hôpital Saint-Antoine, les témoignages spontanés de plus de 50 médecins accourus soigner prouvent que les médecins ne se laisseront pas museler par la répression policière.

MAINTENANT C'EST CLAIR

Le gaullisme et la bourgeoisie sont décidés à conserver le pouvoir à n'importe quel prix, utilisant les méthodes les plus répressives, les plus fascistes. Mesures de protection : se couvrir de vêtements épais, mettre des chaussettes de laine, protéger ses mains, protéger sa tête, protéger ses yeux.

FLICS DE TOUS LES POUVOIRS RECEVEZ NOS PAVÉS INTERNATIONALISTES !
MÉDECINS ET ÉTUDIANTS EN MÉDECINE DE PARIS

Membres de la JEUNESSE COMMUNISTE RÉVOLUTIONNAIRE
Strasbourg, autour du 14 mai

Appel aux soldats du contingent, appel aux ouvriers, paysans, et étudiants en lutte

Derrière les murs des casernes, des comités d'action se forment, dont le but est de soutenir les étudiants et les ouvriers.

Les soldats du contingent se sentent concernés par cette lutte, parce qu'eux aussi sont avant tout des ouvriers et des étudiants.

Les jeunes gens enfermés pendant seize mois sont en fait des chômeurs déguisés qui ne sont même pas assurés de trouver du travail à la sortie.

Pompidou n'a-t-il pas tenté d'expliquer le chômage des jeunes par l'abaissement du service militaire après la guerre d'Algérie.

De plus, les revendications vont être posées afin de réformer les structures archaïques du système militaire.

La réduction du service militaire et son appartenance effective à la vie démocratique sont les deux principaux points de nos revendications actuelles. On considère le contingent comme un élément passif n'ayant rien à dire.

Le contingent appelle la population et lui demande de le soutenir.

Demain, vos fils sous les drapeaux peuvent être appelés à FRAPPER LES OUVRIERS, PAYSANS ET ÉTUDIANTS.

Vos fils s'y opposeront et vous demandent de les aider.

OUVRIERS, PAYSANS, ÉTUDIANTS CRIEZ DANS VOS MANIFESTATIONS ET INTÉGREZ DANS VOS REVENDICATIONS

*LA QUILLE À HUIT MOIS
DES ÉCOLES, PAS DE CASERNES.*
SOLDATS DU CONTINGENT, FORMEZ VOS COMITÉS, COORDONNEZ-LES !

Comité d'action des Soldats de la 7ᵉ Division
Appel autour du 28 mai 1968, Strasbourg

Avignon, juillet 1968

Ouvrant une fenêtre sur la contre-culture américaine, Paradise Now, *pièce du Living Theatre animé par Julian Beck et Judith Malina, dérange. Elle est jouée gratuitement et l'on y brûle des billets de banque. La pièce est interdite et la troupe quitte le Festival.*

D ans la cour du lycée Mistral, la troupe du Living Theatre répète *Paradise Now*.

Treize questions aux organisateurs et aux participants du Festival d'Avignon

Le Festival d'Avignon se présente cette année comme un «Festival pas comme les autres» : on y invite, on y programme la contestation au sein des Assises du Théâtre et, en même temps qu'une violente campagne de presse prend pour cible la troupe du Living Theatre, hôte officiel, de nombreux jeunes font l'objet d'interpellations, de contrôles de la part de la police dans les rues de la ville. [...]

S'appuyant sur des enquêtes sociologiques, certains déplorent que le Festival d'Avignon soit bourgeois c'est-à-dire que seul un pourcentage dérisoire de travailleurs s'y rende. De fait son public est en grande majorité composé de touristes et de membres des classes moyennes ou dirigeantes, comme c'est le cas d'ailleurs pour les Maisons de la Culture. Il s'agit donc d'une culture de classe sur laquelle les problèmes politiques et économiques des travailleurs urbains ou ruraux n'ont pas, ou n'ont que très peu, d'incidence. [...]

Les contrôleurs de la culture (officielle ou officieuse), en exerçant leur monopole sur les moyens de création et de diffusion, ne renforcent-ils pas l'appareil répressif de l'état policier au même titre qu'un gouvernement laissant réoccuper la Sorbonne ou l'Odéon par CRS et préfet de police interposés ? [...]

Est-il possible de contester efficacement le système capitaliste sans mettre d'abord en question le rôle que l'on joue soi-même dans ce système ? Les intellectuels et les artistes (acteurs, peintres, écrivains, etc.) qui ont pris en marche le train du «mouvement de mai» et qui se sont contentés d'exprimer des revendications corporatistes quantitatives n'ont-ils pas, de ce fait, exploité la dynamique de ce mouvement aux mêmes fins que l'Etat et les partis ?

Les différentes forces de l'ordre (des gardiens de la paix à la DST), qui ont joué sur le théâtre des opérations de mai le rôle que l'on sait, interviendront-elles dans la crise de la culture de la même manière qu'elles sont intervenues dans la crise universitaire, c'est-à-dire avec des gaz asphyxiants, des grenades offensives, des matraquages intensifs, des ratonnades, des arrestations, des perquisitions, etc. ? Quel peut-être le rôle des nombreux gardes mobiles, CRS, inspecteurs en civil actuellement en service dans la ville d'Avignon ? [...]

Quand, à travers le monde, un important courant créateur agit depuis plusieurs années dans le sens du théâtre de rue gratuit et libre, préoccupé prioritairement par l'action publique, comment peut-on à la fois lui interdire les rues d'Avignon et prétendre organiser un «Festival de la Contestation» ?

Quels seraient les problèmes posés par la constitution, à l'occasion du Festival d'Avignon, d'un double pouvoir face à celui de l'Etat et des «autorités», qui répondrait à un désir collectif et qui ne se limiterait pas aux bavardages entre spécialistes de la culture soucieux de conserver leurs rôles privilégiés ?

En cette période de reflux et de répression, la question qui se pose à nous n'est-elle pas encore et toujours celle de l'exercice pour TOUS du droit de l'homme à disposer psychiquement et socialement de lui-même ?

Le Comité d'Action
Juillet 1968
in Jean-Jacques Lebel,
Procès du Festival d'Avignon,
supermarché de la culture,
Pierre Belfond, 1968

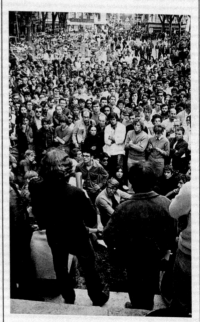

Les étudiants manifestent sur la place de l'Horloge, à Avignon.

68 : année zéro de la libération de la femme

Juchées sur des épaules masculines pendant les manifestations, brandissant l'étendard de la révolte, qu'il soit rouge, noir et même tricolore le 30 mai, des jeunes femmes refont le geste de la citoyenne porte-drapeau chère à l'imagerie républicaine. Mais elles ne jouent aucun rôle politique, ne sont jamais porte-parole du mouvement contestataire. En grève dans les usines, lorsqu'elles sont majoritaires, les femmes demandent parfois l'égalité des salaires.

A quelques exceptions près, les femmes sont absentes des affiches de Mai 68, non représentées. Ici, c'est le genre féminin du mot «beauté» qui amène l'image d'une femme.

Des chances égales

Etudiante,

Tu as été sur les barricades, la police t'a chargée et matraquée comme les étudiants, tes camarades.

Tu participes aux discussions, aux travaux des commissions, aux grandes manifestations populaires.

Des lycées de filles, des instituts féminins ont parfois entraîné les autres établissements et, parmi les dix millions de grévistes, les travailleuses tiennent aussi leur place.

Or, au cours de ces journées décisives, soit dans les grands rassemblements, soit à la radio ou à la télévision, aucune femme n'est apparue comme porte-parole.

Dans les pourparlers entre syndicats, patronat et gouvernement, nul n'a réclamé formellement l'égalité de rémunération, nul n'a envisagé la création de services collectifs et de crèches pour soulager les femmes de leur double journée de travail.

Dans l'immense débat qui s'est instauré à travers le pays, dans la grande remise en cause des structures et des valeurs, aucune voix ne s'élève pour déclarer que le changement des rapports entre les hommes implique aussi le changement des rapports entre les hommes et les femmes.

Les étudiants et les jeunes veulent une morale identique, pour les filles et les garçons. C'est un aspect du changement. Ce n'est qu'un aspect.

D'autres tabous sont à renverser.

Il faut que la société qui va se construire soit l'œuvre des femmes aussi bien que des hommes, qu'elle donne à toutes les femmes des chances égales à celle des hommes. Si tu es d'accord là-dessus qu'es-tu disposée à faire ? Viens en discuter avec nous.

Mouvement démocratique féminin.
Stand dans la cour de la Sorbonne.
2, rue Leneveux, Paris XIVe (fin juin)

Mai 68 et FMA

La cour de la Sorbonne grouillait de mouvement et de couleur. Nous étions assises, Jacqueline et moi, sur des marches. Elle n'en revenait pas; elle suivait des yeux les allées et venues avec un sourire ravi. Je me sentais moi aussi sur une autre planète. Depuis le début des «événements», je vivais un rêve. Si j'avais pu, j'aurais campé dans cette cour. J'y tenais un stand, pour y être le plus souvent possible.

«Et voilà FMA au complet!» m'exclamai-je avec un peu d'amertume.

«Betty est passée l'autre jour, mais elle n'a pas beaucoup de temps. Elle finit sa thèse.»

Je ne comprenais pas comment on pouvait penser à autre chose, être ailleurs, alors que le vieux monde était peut-être en train de basculer…

Et encore Betty était une des rares, nous étions quatre ou cinq, parfois deux à venir tous les quinze jours aux réunions de FMA : Féminin, Masculin, Avenir.

Nous avions consacré les premières réunions du groupe à nous chercher un nom, pour avoir l'impression d'exister. C'était il y avait presque un an. Avec Jacqueline, nous rongions notre frein lors des ronronnantes réunions du MDF Pourquoi ne pas essayer de créer un groupe plus radical, en liaison avec le MDF?

Je battis le rappel de mes relations, hommes et femmes «féministes», Jacqueline aussi. Nous pensions, par opposition aux associations féminines traditionnelles, que c'est avec les hommes qu'il fallait envisager la réflexion et la lutte pour changer les rapports entre femmes et hommes. Nous n'avions pas peur des hommes, comme ces dames timides. Nous allions comprendre bientôt que notre analyse était fausse.

Nous devions être une quinzaine à la première réunion de FMA, avec quelques hommes qui ne sont plus revenus. Et maintenant notre maximum était quatre.

[…] Après avoir tapissé de nos considérations féministes deux ou trois couloirs, nous nous sentions mieux. Nous nous sommes de nouveau assises sur les marches.

«C'est mieux que rien. Et si on louait un amphi pour un débat sur les femmes?»

Cinq minutes plus tard, nous étions devant une salle de cours transformée, entre autres, en salle de réservation des amphis. Un jeune chevelu s'occupa de nous.

«Vous voulez faire un débat sur les femmes? Extra! Ça fait quinze jours qu'il y a la révolution et on n'a pas encore parlé des femmes. Pour quand? Demain? Il ne faut plus perdre de temps.»

Tout allait si vite…

Le lendemain, grand jour. Vingt heures. Nous avions passé la journée à préparer une introduction. Je tremblais d'émotion. Paralysée à l'idée de parler devant cette immense salle. Viendrait-il seulement du monde? Nous étions réfugiées derrière la grande chaire, tout en bas de la salle. En haut les portes s'ouvraient, laissaient passer des gens, de plus en plus de gens.

Une heure plus tard, la salle est comble. Il faut commencer. Je lâche la main de Jacqueline que je tiens agrippée sous la table. La gorge serrée, j'ouvre la bouche. Des sons sortent, ça va vite. Le silence s'est fait. J'arrive au bout de mon speech. Court. J'ai horreur de faire long. Ouf! Je suis tout en sueur. J'ai fini. On m'a écoutée. C'est à Jacqueline.

Je regarde la salle. J'ose. Des gens partout, par terre, entassés. C'est donc possible que tous viennent pour parler des femmes? Qu'ils nous écoutent? […]

Très vite, les questions fusent […].

Sur un cahier déposé sur la table, les noms s'alignent. FMA n'aura jamais autant d'adhérents!

Anne Tristan et Annie de Pisan
Histoire du MLF, Calmann-Lévy, 1977

LISTE DES SIGLES

AGE Association générale des étudiants.
AFGES Association fédérative générale des étudiants de Strasbourg.
AGT Association générale des étudiants de Toulouse.
ARCUN Association des résidents de la cité universitaire de Nanterre.
BAPU Bureau d'aide psychologique universitaire.
CAL Comités d'action lycéens.
CFDT Confédération française démocratique du travail.
CGT Confédération générale du travail.
CLEO Comité de liaison étudiants-ouvriers.
CLER Comité de liaison des étudiants révolutionnaires.
CNT Confédération nationale du travail.
CVB Comités Viêt-nam de base.
CVN Comité Viêt-nam national.
FER Fédération des étudiants révolutionnaires.
FEN Fédération de l'Education nationale.
FGEL Fédération des groupes d'études de Lettres (UNEF-Sorbonne).

FNSEA Fédération nationale des syndicats d'exploitants agricoles.
FO Force ouvrière.
FRUF Fédération des résidences universitaires de France.
JCR Jeunesse communiste révolutionnaire.
LEA Liaison des étudiants anarchistes.
MAU Mouvement d'action universitaire.
MNEF Mutuelle nationale des étudiants de France.
MODEF Mouvement de défense des exploitations familiales.
ORTF Office de radiodiffusion-télévision française.
PSU Parti socialiste unifié.
SDS Sozialistischer Deutscher Studentenbund.
SNES Syndicat national de l'enseignement secondaire.
SNE-Sup Syndicat national de l'enseignement supérieur.
UDR Union des démocrates républicains
UEC Union des étudiants communistes.
UJCML Union des jeunesses communistes marxiste-léniniste.
UNEF Union nationale des étudiants de France.

BIBLIOGRAPHIE

Sources
- *Mémoires de 68, guide des sources d'une histoire à faire*, Verdier, 1993.
- *Guide, les tracts de Mai 68.* Bibliothèque nationale (BNF), IDC, 1987.

Ont été plus particulièrement consultés pour cet ouvrage :
Bas-Rhin : Archives municipales de Strasbourg.
Hauts-de-Seine : Bibliothèque de documentation internationale contemporaine (BDIC); Université de Nanterre.
Ile-de-France Paris : BNF; Centre de recherche et d'histoire des mouvements sociaux et du syndicalisme (CRHMSS); Université de Paris I-Panthéon-Sorbonne.
Loire-Atlantique : Centre d'histoire du travail, Nantes.
Rhône : Bibliothèque municipale de la Part-Dieu et Centre de documentation libertaire Librairie La Gryffe, Lyon.

Ouvrages généraux
- Aron, Raymond, *La Révolution introuvable*, Fayard, 1968.

- Bensaïd, Daniel et Weber, Henri, *Mai 68 : une répétition générale*, Paris, Maspero, 1968.
- Delale, Alain et Ragache, Gilles, *La France de 68*, Le Seuil, 1978.
- Morin, Edgar, Lefort, Claude et Coudray, Jean-Marc, *Mai 68: la brèche, première réflexion sur les événements*, Fayard, 1968.
- Salvaresi, Elisabeth, *Mai en héritage*, Syros, 1988.
- Schnapp, Alain et Vidal-Naquet, Pierre, *Journal de la Commune étudiante, textes et documents, novembre 1967-juin 1968*, Le Seuil, 1969, 1988.
- Touraine, Alain, *Le Communisme utopique, le mouvement de Mai 1968*, Le Seuil, 1968.
- *Des Tracts en mai 1968*, Champs libre, 1978.

Les mouvements internationaux
- Bosc, Serge et Bouguereau, Jean-Marcel, «Le Mouvement des étudiants berlinois, documents sur l'Université critique», in *Les Temps modernes*, juillet 1968, n° 265.
- Caute, David, *1968 dans le monde*, Laffont, 1988.
- Dansette, Adrien, *Mai 1968*, Plon, 1971.
- Dreyfus-Armand, Geneviève et Gervereau Laurent, *Mai 1968, les mouvements étudiants en France et dans le monde*, Nanterre, BDIC, 1988.

- Granjon, Marie-Christine, *L'Amérique de la contestation, les années 60 aux Etats-Unis*, Paris, Presses de la Fondation nationale des Sciences politiques, 1985.
- Halliday, Fred, «Students of the World Unite», in *Student Power, Problems, Diagnosis, Action*, Cockburn et Blackburn (éd.), Penguin Books, 1969.
- Kiejman, Claude et Held, Jean-Francis, *Mexico, le pain et les jeux*, Le Seuil, 1969.
- Martin, André, «La Révolte des jeunes en Pologne», in *Etudes*, juin-juillet 1968.
- Rossanda, Rossana, *L'Anno degli studenti*, Bari, de Donato, 1968; «Les Etudiants comme sujets politiques», in *Les Temps Modernes*, août-septembre 1968, n° 266-267.
- Tigrid, P., *Le Printemps de Prague*, Le Seuil, 1968.
- Tribunal Russell, *Le Jugement de Stockholm*, Gallimard, 1967.

Nanterre, les prémisses du mouvement
- Baynac, Jacques, *Mai retrouvé*, Laffont, 1978.
- Cohn-Bendit, Daniel, *Le Gauchisme, remède à la maladie sénile du communisme*, Le Seuil, 1968; *Le Grand Bazar*, Belfond, 1975.
- Dumontier, Pascal, *Les Situationnistes et Mai 1968, théorie et pratique de la révolution (1966-1972)*, Paris, Ivrea, 1995.
- Duteuil, Jean-Pierre, *Nanterre 1965-66-67-68, vers le Mouvement du 22 mars*, Mauléon, Acratie (dif-pop.), 1988.
- Feuerstein, Pierre, *Printemps de révolte à Strasbourg*, Strasbourg, Saisons d'Alsace, 1968.
- *Internationale situationniste*, Fayard, 1997.
- Guin, Yannick, *La Commune de Nantes*, Maspero, 1969.
- Kravetz, Marc, *L'Insurrection étudiante, 2-13 mai 1968*, ensemble critique et documentaire, avec la collaboration de R. Bellour et A. Karsenty, Union générale d'édition, 1968.
- Lefèbvre, Henri, *L'Irruption de Nanterre au sommet*, Anthropos, 1968.
- Monchablon, Alain, *Histoire de l'UNEF de 1956 à 1968*, PUF, 1983.
- Sauvageot, J., Geismar, A., Cohn-Bendit, D. et Duteuil, J.-P., *La Révolte étudiante, les animateurs parlent*, Le Seuil, 1968.
- Vienet, René, *Enragés et situationnistes dans le mouvement des occupations*, Gallimard, 1968.

Manifestations et barricades
- Comités d'action lycéens, *Les lycéens gardent la parole*, Le Seuil, 1968.
- Corbin, Alain et Mayeur, Jean-Marie (éd), *La Barricade*, Publications de la Sorbonne, 1997.
- Geismar, A., July, S. et Morane, E. *Vers la guerre civile*, Editions et publications premières, 1969.
- Glucksmann, André, *Stratégie et révolution en France, 1968*, Bourgois, 1968
- Grimaud, Maurice, *En mai, fais ce qu'il te plaît*, Stock, 1977.
- Labro, Philippe, *Les Barricades de Mai*, Solar-Gamma, 1968.
- *Notes et études documentaires, Chronologie des événements de mai-juin 1968*, La Documentation française, 1970, n° 3722-3723.
- Tartakowsky, Danielle, *Les Manifestations de rue en France, 1918-1968*, thèse de doctorat d'Etat, Paris-I, 1994.
- Vigier, Philippe, «Le Paris des barricades (1830-1968)», in *L'Histoire*, «1789-1989, deux cents ans de révolution française», n° 113, juillet-août 1988.

Les occupations
- Adam Gérard, *Etudes statistiques des grèves de mai-juin 1968*, Revue française de Sciences politiques, février 1970.
- Baumfelder, E., Cazes, S., Dassa, S., Durand, C., Kergoat, D., Mallet, S. et Vidal, D., «Le Mouvement ouvrier en mai 68», in *Sociologie du travail*, Le Seuil, juillet-septembre 1970.
- Boissier, Cédric, *La Manifestation du 30 mai 1968*, mémoire de DEA-Etudes politiques, IEP de Grenoble, 1993.
- Capitaine, Ronan, *Dassault Saint-Cloud en mai-juin 1968*, maîtrise, Paris-I, 1990.
- Dubois, P., Dulong, R., Durand, C., Erbes-Seguin, S. et Vidal, D., *Grèves revendicatives ou grèves politiques, acteurs, pratiques, sens du mouvement de mai?* Paris, Anthropos, 1971.
- *Les Evénements de mai-juin 1968 vus à travers cent entreprises*, Paris, Centre national d'information pour la productivité des entreprises.
- Frémontier, Jacques, *La Forteresse ouvrière Renault*, Fayard, 1971.
- Fruitier, Stéphane, *Les Evénements de Mai 68 dans la Somme*, maîtrise, Paris-I, 1987.
- Hassenteufel, Patrick, *Citroën, Paris mai-juin 1968, dualités de la grève*. maîtrise, Paris-I, 1987.
- Hatzfeld, Nicolas, *La Grève de mai-juin 1968 aux Automobiles Peugeot à Sochaux*, maîtrise, Paris-VIII, 1985.
- Jallageas, Dominique, *Les Grèves ouvrières dans l'agglomération toulousaine en mai-juin 1968*, maîtrise, Paris-I, 1978-1979.
- Le Madec, François, *L'Aubépine de mai, chronique d'une usine occupée, Sud-Aviation/Nantes 1968*, Nantes, Archives et Documents, CDMOT, 1988.
- «Mai 68, Terres ardennaises», *Revue d'histoire et de géographie locales*, juin 1988, n° 23.
- Mouriaux, R., Percheron, A., Prost, A. et

Tartakowsky, D, *1968, Exploration du Mai français*, 2 tomes, L'Harmattan, 1992.
- «Le Mouvement social de mai 1968 en Alsace, décalages et développements inégaux», *Revue des Sciences sociales de la France de l'Est*, n° 17, 1989-1990.
- Naudet, Jean-François, *La Grève de mai-juin 1968 à la RATP*, maîtrise, Paris-I, 1986.
- *Notre arme c'est la grève, la grève chez Renault-Cléon*, Maspero, 1968.
- Perrot, M., Rebérioux, M. et Maitron, J., «La Sorbonne par elle-même, mai-juin 1968», in *Mouvement social*, juillet-septembre 1968, n° 64.
- Prost, Antoine, «Les Grèves de mai-juin 1968», in *L'Histoire*, n° 110, avril 1988.
- «Révolte de mai 1968», in *Encyclopédie de l'Alsace*, vol. 10, Publitotal, Strasbourg, 1985.
- Salini, Laurent, *Mai des prolétaires*, Editions sociales, 1968.
- Talbo, Jean-Philippe, *La Grève à Flins, documents, témoignages*, Maspero, 1968.

Art et communication

- *Atelier populaire présenté par lui-même, 87 affiches de mai et juin 1968*, Paris, UUU, 1968.
- *Cahiers du cinéma*, mars et août 1968.
- *Les 500 affiches de Mai 68*, Balland, 1978.
- Lebel, Jean-Jacques, *Procès du Festival d'Avignon*, Belfond, 1968.
- Lebel, Jean-Jacques, *Anthologie de la poésie Beat Generation*, Paris, Denoël, 1965.
- Louis, Roger, *L'ORTF, un combat*, Le Seuil, 1968.
- *Mai 68, Toulouse*, Centre municipal de l'affiche, de la carte postale et de l'art graphique, 1988.
- Mesa, *Mai 68, les affiches*, Paris, SPM, 1975.
- *Les murs ont la parole*, citations recueillies par Julien Besançon, Tchou, 1968.
- *Révolution essentielle*, introduction Charles Perussaux, Bibliothèque nationale, 1982.
- Peters, Louis F., *Kunst und Revolte*, Koln, Verlag M. du Mont, Schauberg, 1968.

Filmographie

86 films, documentaires et fictions sont disponibles à la Vidéothèque de Paris, dont : *Wonder Mai 68*, de Jacques Willemont et Pierre Bonneau, 1968; *Grands Soirs et Petits Matins*, de William Klein, 1978; *Le Droit à la parole*, de Michel Andrieu, 1978; *Nous avons tant aimé la révolution*, de Steven Winter et Dany Cohn-Bendit, 1986.

TABLE DES ILLUSTRATIONS

76h Réunion des ouvriers des usines d'aéronautique chez Dassault, photo G. Azenstarck.
76b *Le Progrès de Lyon*, 18 mai 1968.
76-77 Occupation à Renault-Flins, photo G. Azenstarck.
78 Occupation à Renault-Le Mans, photo G. Azenstarck.
78mb Revues *Noir et Rouge*.
79h Occupation des Chantiers de l'Atlantique, Saint Nazaire.
79b Affiche contre le vote à bulletin secret, photo G. Azenstarck.
80 Occupation de l'usine Citroën.
81 Occupation à Renault-Billancourt, photo Bruno Barbey.
82h Affiche des Beaux-Arts de Paris.
82-83 Opération Jericho, Paris, 7 juin.
84b Manifestation paysanne à Nantes.
85 Place Royale

rebaptisée Place du Peuple, lors de la manifestation du 24 mai à Nantes. Coll. Fonds Mai 68-Garnier/ Archives du Centre d'Histoire du Travail.
86 Accords de Grenelle, 27 mai 1968.
86-87 Vote contre la reprise du travail après les accords de Grenelle, chez Citroën-Balard, photo G. Azenstarck.
87m L'intervention télévisée du général De Gaulle.
88-89 Contre-manifestation gaulliste sur les Champs-Elysées, 30 mai 1968, photo Bruno Barbey.
89h Michel Debré et André Malraux, manifestation gaulliste, 30 mai 1968.
89b Grand meeting, stade Charléty, 27 mai, photo Gilles Caron.
90 Vote contre la reprise du travail à l'usine de Citroën-Javel.
90m *La Cause du peuple*, édition nantaise

du 6 juin 1968.
91 «La détente s'amorce», affiche de H. Cattolica, juin 1968.
92-93 Manifestation lors de l'enterrement de Gilles Tautin, photo Bruno Barbey.
93b Barricade à Toulouse, photo Jean Dieuzaide.
92m Affiche des Beaux-Arts de Paris pour Peugeot-Sochaux, juin 1968.
94h Affiche des CDR.
95h Reprise du travail à Renault-Billancourt, 18 juin 1968.
95d Le Living Theatre à Avignon en juillet 1968, photo Horace.
96 Manifestation du 13 mai à Paris, photo Elie Kagan.

TÉMOIGNAGES
ET DOCUMENTS

97 «Chanson du Conseil pour le maintien des occupations», Paris.
98 Affiche «Nous sommes tous des Juifs

et des Allemands».
100 Atelier des Beaux-Arts de Paris.
101h Affiche, *idem*.
101b L'Enragé, n° 3.
102 Graffiti à la Sorbonne.
104 Graffiti, façade du Palais universitaire de Strasbourg.
105 Cour de la Sorbonne occupée.
106 Affiches.
108 Occupation de Sud-Aviation-Bouguenais, photo G. Azenstarck.
111 Occupation du théâtre de l'Odéon.
112 Autorisation d'ouverture de commerces à Nantes.
114 Déclaration du Grand Orient de France, 30 mai 1968.
116 Le Living Theatre répétant *Paradise Now* à Avignon.
117 Manifestion, place de l'Horloge pendant le Festival d'Avignon juillet 1968, photo Bruno Requillart.
118 Affiche éditée à Montpellier.

INDEX

CRÉDITS PHOTOGRAPHIQUES

Abbas/Magnum 21. AFP/Paris 12, 20, 43b, 46b, 51h, 86, 95h. AKG/Paris 18h, 22h, 23, 105. Archives du Centre d'Histoire du travail, Nantes 85. Archive Photos 13, 15, 16h, 25, 34h, 54g-55d, 61. G.Azenstarck 0-1, 4, 8-9, 60-61, 72, 74h, 76h, 76-77, 78, 86-87, 108. Bruno Barbey/Magnum 17, 56-57, 62bm, 68b, 81, 88-89, 92-93. Gilles Caron/Contact Press Images 2-3, 5, 6-7, 27, 89b. Henri Cartier-Bresson/Magnum 66hd. C.I.R.I.P 1er plat de couv., 51m, 52, 53b, 54-55m, 70-71, 75h, 82h, 91, 92m, 94h, 118. Jean Dieuzaide 38-39m, 93b. DR 30b, 31h, 32-33h, 32m, 32hg, 33d, 36-37h, 38b, 70hd, 73, 74b, 78mb, 97, 98, 101h, 101b, 104, 106, 112, 116. Edimédia 66h, 67h, 90, 102. Martine Franck/Magnum 65h. Gamma/ J.P.Bounotte 84b. Gérard-Aimé/Rapho 4ème de couv., Dos de couv.,11, 18-19b, 26, 28b, 28-29, 30-31, 31m, 32-33, 34-35b, 35m, 36b, 37, 38h, 41h, 40-41b, 44, 45, 46-47h, 62-63h, 63bd, 64, 65b, 67b. Horace/Rapho 22-23, 47, 48h, 5O-51b, 95d. Elie Kagan 42, 96. Keystone 14-15, 19, 40h, 52-53, 82-83. Didier Leplat 87m. Guy Le Querrec/Magnum 62bg. Magnum 100. Paris-Match 75m. Paris-Match/Camus 80. Paris-Match/Teysseire 79h. PPCM 58. Rapho/Dourdin 68-69. Bruno Requillart/ Ministère de la Culture-France 117. Marc Riboud/Magnum 14. Rey-SAS/Gamma 49g. Roger-Viollet 48b, 49d, 60, 66-67, 111. Ferdinando Scianna/Magnum 24b, 24-25. Sygma 55m. Sygma/James Andanson 59b. Sygma/Henri Bureau 89h. UPI/Corbis-Bettmann/Sipa 16b.

REMERCIEMENTS

L'auteur remercie Tony Alvarez qui lui a permis de consulter son fonds d'archives, Cathy Pozzo di Borgo qui lui a prêté de précieux documents, Jean-Pierre Duteuil pour ses contacts et informations.

ÉDITION ET FABRICATION

DÉCOUVERTES GALLIMARD
DIRECTION Pierre Marchand et Elisabeth de Farcy.
GRAPHISME Alain Gouessant. FABRICATION Claude Cinquin. PROMOTION & PRESSE Valérie Tolstoï.
MAI 68 JOUR ET NUIT
ÉDITION Michèle Decré. MAQUETTE ET MONTAGE PAO Jacques Le Scanff (Corpus), Dominique Guillaumin (Témoignages et Documents). ICONOGRAPHIE Anne Soto.
LECTURE-CORRECTION Jocelyne Marziou et Catherine Lévine. PHOTOGRAVURE Arc-en-Ciel.

Table des matières